HEYNE
JAHRGANGSBÜCHER

In der Reihe ***Heyne-Jahrgangsbücher***
erscheint gleichzeitig
das war 1945.

Es sind bereits erschienen:
das war 1931,
das war 1933.

In Kürze erscheinen:
das war 1939
das war 1948

DIETER STRUSS

das war 1951

FAKTEN · DATEN · ZAHLEN · SCHICKSALE

Originalausgabe

WILHELM HEYNE VERLAG
MÜNCHEN

Bildnachweis:
Der Abdruck der Fotos erfolgt mit freundlicher Genehmigung des Ullstein Bilderdienstes, Berlin, mit Ausnahme der Filmfotos auf den Seiten 146 bis 151, die das Bildarchiv Preußischer Kulturbesitz, Berlin, beisteuerte.
Die Karikaturen stellte freundlicherweise Herr Ernst Maria Lang zur Verfügung.
Die Anzeigen wurden der Tagespresse entnommen.

Idee: Will Berthold

Produktion: Dr. Dieter Struss GmbH, Grafing bei München

Printed in Germany 1980
Umschlagfotos: Süddeutscher Verlag, Bilderdienst, München
Umschlaggestaltung: Atelier Heinrichs & Schütz, München
Layout: Johannes Eikel
Satz: IBV Lichtsatz KG, Berlin
Druck und Bindung: Presse-Druck, Augsburg
ISBN 3-453-01324-7

Inhaltsverzeichnis

Kalendarium 1951

	Januar	Mai	September
S	7 14 21 28	6 13 20 27	2 9 16 23 30
M	1 8 15 22 29	7 14 21 28	3 10 17 24
D	2 9 16 23 30	1 8 15 22 29	4 11 18 25
M	3 10 17 24 31	2 9 16 23 30	5 12 19 26
D	4 11 18 25	3 10 17 24 31	6 13 20 27
F	5 12 19 26	4 11 18 25	7 14 21 28
S	6 13 20 27	5 12 19 26	1 8 15 22 29

	Februar	*Juni*	*Oktober*
S	4 11 18 25	3 10 17 24	7 14 21 28
M	5 12 19 26	4 11 18 25	1 8 15 22 29
D	6 13 20 27	5 12 19 26	2 9 16 23 30
M	7 14 21 28	6 13 20 27	3 10 17 24 31
D	1 8 15 22	7 14 21 28	4 11 18 25
F	2 9 16 23	1 8 15 22 29	5 12 19 26
S	3 10 17 24	2 9 16 23 30	6 13 20 27

	März	*Juli*	*November*
S	4 11 18 25	1 8 15 22 29	4 11 18 25
M	5 12 19 26	2 9 16 23 30	5 12 19 26
D	6 13 20 27	3 10 17 24 31	6 13 20 27
M	7 14 21 28	4 11 18 25	7 14 21 28
D	1 8 15 22 29	5 12 19 26	1 8 15 22 29
F	2 9 16 23 30	6 13 20 27	2 9 16 23 30
S	3 10 17 24 31	7 14 21 28	3 10 17 24

	April	*August*	*Dezember*
S	1 8 15 22 29	5 12 19 26	2 9 16 23 30
M	2 9 16 23 30	6 13 20 27	3 10 17 24 31
D	3 10 17 24	7 14 21 28	4 11 18 25
M	4 11 18 25	1 8 15 22 29	5 12 19 26
D	5 12 19 26	2 9 16 23 30	6 13 20 27
F	6 13 20 27	3 10 17 24 31	7 14 21 28
S	7 14 21 28	4 11 18 25	1 8 15 22 29

Einleitung

Was 1951 geschah, ist zwar nun schon 30 Jahre vergangen, wenn dieser Band erscheint, trotzdem werden die meisten Leser nicht viele Schwierigkeiten haben, sich, ihr Leben und ihre Probleme wiederzuerkennen. Wer an die Zeit vor dem Zweiten Weltkrieg zurückdenkt, wer liest, wie Hitler 1933 oder 1939 aufgenommen wurde, kann es kaum begreifen, daß die Eltern oder gar man selbst einst an diesen Mann geglaubt haben. Wer jedoch hier nachschlägt, was sich 1951 ereignete, was in diesem Jahr gesprochen und geschrieben wurde, der mag fast nicht glauben, daß das, was so nahe zu liegen scheint, schon 30 Jahre alt ist.
Der Grund dafür ist ganz einfach: In diesem Jahr beginnt sehr vieles zu entstehen, was uns heute wie etwas Selbstverständliches umgibt. Die Bundesrepublik gewinnt an Eigenständigkeit, sehr viele ihrer Institutionen nehmen die Arbeit auf: das Auswärtige Amt, die Deutsche Forschungsgemeinschaft, das Bundesverfassungsgericht, die Bundesanstalt für Arbeitsvermittlung usw. Die Internationale Automobil-Ausstellung in Frankfurt/Main wird zum ersten Mal eröffnet, ebenso die Photokina in Köln; die drei Chemiegiganten BASF, Bayer Leverkusen, Farbwerke Hoechst werden gebildet. Alte Institutionen leben wieder auf: so die Bayreuther Festspiele, das Goethehaus in Frankfurt/Main. Deutschland wird wieder in die internationalen Sportorganisationen aufgenommen und deutsche Sportler setzen sich wieder international durch: allen voran Baran/Falk und Anderl Ostler.

Allerdings dürfen wir nun eigentlich nicht mehr von »Deutschland« sprechen, schließlich befehden sich bereits heftig die Bundesrepublik Deutschland auf der Seite des Westens und die Deutsche Demokratische Republik (DDR) – damals offiziell Sowjetische Besatzungszone (SBZ), auch Sowjetzone genannt, im Volksmund Ostzone, mitunter auch Mitteldeutschland – auf der Seite des Ostens. Denn 1951 erreicht der Kalte Krieg zwischen den beiden Protagonisten USA und Sowjetunion einen Höhepunkt. In Asien ist der Korea-Krieg zu Beginn des Jahres in vollem Gang und ebbt erst nach der Entlassung des Generals MacArthur nach und nach ab.
Dieser Gipfel des Kalten Krieges zeitigt Folgen, die vielen Deutschen damals traumhaft, alptraumhaft, wünschenswert oder einfach absurd anmuten. So wird in diesem Jahr intensiv und heftig, auf nationaler wie internationaler Ebene, über die Wiederbewaffnung Deutschlands diskutiert, ob und wie und unter welchen Bedingungen... Der äußere Druck fördert aber auch zugleich die ersten Ansätze für ein vereintes Europa. So ist als herausragendes Ereignis die Gründung der Montan-Union zwischen Frankreich, Italien, den Benelux-Ländern und der Bundesrepublik festzuhalten. Wir befinden uns in dem Zeitraum, in dem viele an die schnelle Realisierung der Europa-Idee glauben, es ist die große Zeit von Robert Schuman (Frankreich), Alcide de Gasperi (Italien) und Konrad Adenauer (Bundesrepublik).
All diese Neuanfänge und Neuansätze dürfen nicht darüber hinwegtäuschen, daß die Bundesrepublik – innen- wie außenpolitisch – einen Berg von Problemen zu bewältigen hat. Schließlich ist sie, wie die DDR, noch besetztes Land, deren Regierung stark von den Hochkommissaren der Besatzungsmächte abhängt. Zwischen der Bundesrepublik und Frankreich steht ungelöst das Saar-Problem, und mit den Besatzungsmächten findet ein ewiges Hickhack über die Besat-

zungskosten statt, ein wahrer Dauerbrenner, der in diesem Jahr dafür sorgt, daß der Name des Finanzministers Fritz Schäffer öfters in den Zeitungen auftaucht als der des später so viel berühmteren Wirtschaftsministers Ludwig Erhard.

Neben dem publizistischen Dauerkrieg mit der DDR wird die Diskussion in der Bundesrepublik von den Folgen des Zweiten Weltkrieges beherrscht. Wo sind die vielen Kriegsgefangenen in der Sowjetunion geblieben? Wer schafft sie zurück? Wer gliedert die vielen Millionen Vertriebenen dauerhaft ein, die sich zu einem mächtigen, lautstarken Bund zusammenschließen? Wer bringt etwas Ordnung in den Abschluß der Entnazifizierungsverfahren und in die vielen laufenden, zum Teil heftig umstrittenen Kriegsverbrecherprozesse? Wer bannt die Geister der Vergangenheit, verkörpert in dem Major Remer von der Sozialistischen Reichspartei SRP?

Während aber die Bundesrepublik dank Marshall-Plan, ERP-Mitteln, Care-Paketen usw. in wirtschaftlicher Hinsicht über den ersten Berg ist – nach Weihnachten melden die Textilgeschäfte sogar, daß zum ersten Mal Bekleidung umgetauscht wird, weil die Menschen plötzlich dicker geworden sind –, herrscht in der DDR noch der blanke Mangel. Diese verschiedenartigen Verhältnisse setzen den besonderen Akzent in dem Noten- und Redenkrieg zwischen den beiden deutschen Staaten: Man spürt in den westdeutschen Dokumenten, die hier in einigen Ausschnitten abgedruckt werden, die Überlegenheit (wenn nicht Überheblichkeit), während sich die DDR im wesentlichen darauf beschränkt, zu reagieren, wenn auch störend, so letzten Endes doch ohnmächtig. Daß sie sich dem Schuman-Plan (Montan-Union) ebenso widersetzt, wie der Wiederbewaffnung der Bundesrepublik innerhalb eines westeuropäisch-amerikanischen Bündnisses, versteht sich angesichts ihrer sowjetischen Besatzungsmacht von selbst. Zumal wir uns ja auch noch in der Stalin-Ära befinden,

in der der Byzantinismus dementsprechend groß geschrieben wird.
In Frankreich gewinnen die Gaullisten die Wahlen, kommen aber noch nicht an die Regierung, in Großbritannien hingegen wird die Labour-Regierung (nach einer Sozialisierungsphase) noch einmal von den Konservativen unter Winston Churchill abgelöst. In den USA übersteht Truman die schweren Erschütterungen, die er durch die Entlassung seines Oberbefehlshabers in Korea, MacArthur, auslöst, besser als erwartet. Im übrigen rücken die USA durch die Gewinnung von Stützpunkten im Atlantik näher an Europa heran.
Nachdem Rotchina ein Jahr zuvor schon in den Korea-Krieg indirekt (durch sogenannte Freiwillige) eingegriffen hat, verleibt es sich nun Tibet ein. In Indochina steht Frankreich nach wie vor in einem Abwehrkampf gegen die Unabhängigkeitsbewegungen der verschiedenen Völker. In Afrika rühren sich die ersten antikolonialen Kräfte von Nord bis Süd – bemerkenswert auch die verschiedenen Versuche, sie rechtzeitig zu kanalisieren. Ägypten beginnt, die letzten britischen Fesseln abzuschütteln, Persien (heute Iran) versucht, die Vorherrschaft der Anglo Iranian Oil Company zu brechen und löst dadurch eine große internationale Krise aus – noch liefert zwar Kohle den größten Energieanteil, aber das Erdöl gewinnt mehr und mehr an Bedeutung, und Persien ist Europas bedeutendster Erdöllieferant. Damals überreden die USA Großbritannien, das mit Truppen in Persien eingreifen will, zur Mäßigung.
Dieser Band bringt von vielen dieser nationalen und internationalen Ereignisse Dokumente. Interessant ist nicht nur ihr Inhalt, der uns, wie gesagt, weitaus vertrauter ist als der von Dokumenten aus den dreißiger Jahren etwa, ebenso interessant (wenn auch nicht immer genußreich) ist oft ihr Stil. Man hört aus einigen von ihnen geradezu den Bundespräsi-

denten Theodor Heuss reden, sein individueller Stil setzt sich selbst noch in offiziellen Dokumenten durch. Viel schwieriger und unpersönlicher sind die östlichen Dokumente des Kalten Krieges zu lesen.
Ferner bringt dieser Band eine größere Anzahl von Anekdoten aus diesem Jahr. Die Zeitungen werden nicht nur umfangreicher, selbst seriöse Organe sind nun eher geneigt, dem Leser Menschlich-Allzumenschliches oder auch einfach nur Amüsantes und Kurioses aus aller Welt vorzusetzen, oft zur Auflockerung der vielleicht etwas trockenen Nachrichten aus Politik, Wirtschaft und Kultur. Viele dieser Anekdoten sind nicht unbedingt für dieses Jahr typisch, sie könnten genauso gut auch heute in den Blättern stehen.
Insgesamt stellt sich das Jahr 1951 so dar, als sei damals nicht viel Weltumwälzendes geschehen. Aber davon abgesehen, daß die meisten Menschen wohl gerne auf allzu große Umwälzungen verzichten, zumindest, wenn diese ihren privaten Lebenskreis stören, so ist doch bemerkenswert, wie in diesem Jahr alte, noch unbewältigte Probleme aus der Katastrophe des Zweiten Weltkrieges sich überschneiden mit vielen Neuanfängen, deren Endergebnisse wir heute für selbstverständlich nehmen. In dieser Zwiespältigkeit könnte man einen Grundzug dieses Jahres erkennen.

Kleines Interview mit Konrad Adenauer:
Wer wird Außenminister?

»Tja, also… Charakter muß er haben… Diplomat soll er sein…

und repräsentativ… dreimal dürft Ihr raten, wer…«

Karikatur von Ernst Maria Lang.

Deutsche Politik

– das sollten Sie unbedingt wissen

23. Januar: Der NATO-Oberbefehlshaber General Eisenhower gibt eine Ehrenerklärung für den deutschen Soldaten des 2. Weltkrieges ab.

6. März: Die Bundesregierung erhält das Recht, auswärtige Politik zu betreiben.

2. Mai: Die Bundesrepublik wird Mitglied des Europarates.

6. Mai: Bei den Landtagswahlen in Niedersachsen gewinnt die neonazistische Sozialistische Reichspartei 16 Sitze.

21. Mai: Der saarländische Ministerpräsident Johannes Hoffmann verbietet auf französische Weisung die Demokratische Partei des Saarlandes.

9. Juli: Die westlichen Alliierten beenden den Kriegszustand mit Deutschland.

1. September: Die DDR führt für alle Fahrzeuge der Bundesrepublik und Westberlins eine Straßennutzungsgebühr ein.

17. November: Der »Bund der vertriebenen Deutschen« wird gegründet.

9. Dezember: In einer Volksabstimmung entscheidet sich die Mehrheit für die Bildung des »Südweststaates«.

Die Bundesrepublik wird immer selbständiger

1. Januar Bundespräsident Theodor Heuss gibt den Text einer neuen Nationalhymne, der von Rudolf Alexander Schröder verfaßt und von Hermann Reutter vertont wurde, bekannt:

Land des Glaubens, deutsches Land,
Land der Väter und der Erben,
Uns im Leben und im Sterben
Haus und Herberg, Trost und Pfand,
Sei den Toten zum Gedächtnis,
Den Lebend'gen zum Vermächtnis
Freudig vor der Welt bekannt,
Land des Glaubens, deutsches Land.

Land der Hoffnung, Heimatland,
Ob die Wetter, ob die Wogen
Über dich hinweggezogen,
Ob die Feuer dich verbrannt,
Du hast Hände, die da bauen,
Du hast Herzen, die vertrauen,
Lieb und Treue halten stand,
Land der Hoffnung, Heimatland.

Land der Liebe, Vaterland,
Heil'ger Grund, auf den sich gründet,
Was in Lieb und Leid verbündet
Herz mit Herzen, Hand mit Hand,
Frei, wie wir dir angehören
Und uns dir zu eigen schwören,
Schling' um uns dein Friedensband,
Land der Liebe, Vaterland.

18. Januar Ernst Reuter wird zum Regierenden Bürgermeister von Westberlin gewählt.

6. März Die Alliierten gestatten der Bundesregierung, ein Auswärtiges Amt zu errichten. Die

Bundesregierung erhält gleichzeitig die Paßhoheit zurück.

13. März Bundeskanzler Konrad Adenauer übernimmt auch die Position des Außenministers. Er reist in den folgenden Monaten zum erstenmal nach dem Krieg offiziell nach London, Paris und Rom.

2. April Die westlichen Alliierten heben fast alle Produktionsverbote für die deutsche Industrie auf.

4. April Erstmals werden wieder ausländische Diplomaten beim Bundespräsidenten akkreditiert.

29. April Die Alliierten heben das Verbot der Segelfliegerei auf.

2. Mai Die Bundesrepublik wird Mitglied des Europarates.

Minnesänger Konradin und die 3 Burgfräulein. Karikatur von Ernst Maria Lang über die nicht immer glücklich verlaufenden Verhandlungen Adenauers mit den Hochkommissaren.

»... Minniglich sie zu verführen, tät mächtig er die Saiten rühren...«

Der italienische Ministerpräsident Alcide de Gasperi (links, mit Frau) ist der erste Politiker, der zu einem Staatsbesuch in Bonn eintrifft (21. September). Rechts: Adenauer.

6. Mai	Wahlen in Niedersachsen, Sitzverteilung: SPD 64, Niederdeutsche Union 35, Sozialistische Reichspartei SRP 16, FDP 12.
29. Mai	Die Bundesrepublik wird Mitglied der Weltgesundheitsorganisation WHO innerhalb der Vereinten Nationen.

12. Juni Die Bundesrepublik wird Mitglied der Internationalen Arbeitsorganisation ILO innerhalb der Vereinten Nationen.

9. Juli Die westlichen Alliierten beenden offiziell den Kriegszustand mit der Bundesrepublik.

5. September Die Alliierten beschließen, daß die Deutschen keinerlei Anspruch mehr haben sollen auf Vermögenswerte, die vor dem Zweiten Weltkrieg im Ausland lagen. Diese Werte wurden bei Kriegsende auf 40 Mrd. RM geschätzt. Sie werden als Reparationen angerechnet.

11. September Für den Aufbau der Bundesrepublik wird ein Verdienstorden in drei Klassen geschaffen.

7. Oktober Wahlen in Bremen

SPD	statt 41,7%	nur noch	39,1%
DP	statt 3,8%	jetzt	14,7%
FDP	statt 19,5%	nur noch	11,8%
CDU	statt 22,0%	nur noch	9,1%

9. Dezember In Baden und Württemberg entscheiden sich 69,8% der Bevölkerung nach heftigen Kampagnen für die Bildung des »Südweststaates« Baden-Württemberg. Wortführer der Badener, der die Vereinigung mit juristischen Mitteln zu verhindern sucht, ist der Vertreter Südbadens, Wohlleb.

Das erste Mal...

19. April In Frankfurt/Main findet die 1. Internationale Automobil-Ausstellung IAA statt. Es kommen 600000 Besucher, 100000 Autos werden bestellt. Bundespräsident Heuss eröffnet.

20. April In Köln findet zum ersten Mal die Photokina statt. Es kommen 100000 Besucher, 50% der deutschen Produktion gehen in den Export. Die japanische Konkurrenz ist noch nicht auf dem Plan. Wirtschaftsminister Erhard eröffnet.

10. Mai In Frankfurt/Main wird das Goethe-Haus eingeweiht. Es war durch einen Luftangriff im 2. Weltkrieg zerstört worden und wurde unter polnischer Mitwirkung rekonstruiert.

15. Mai In Köln wird die Deutsche Gesellschaft für Fotografie gegründet. Sie ist in 7 Sektionen geordnet, darunter Sektion 1 Forschung, Sektion 3 Medizin, Sektion 6 Reproduktionsfotografie, Sektion 7 Fotografie in der Technik.

Juni Im Juni werden die Aachener Heiltumsfahrten wiederaufgenommen. Sie finden nur alle 7 Jahre statt und waren wegen des Krieges einmal ausgesetzt worden. Bei dieser Prozession werden die wertvollsten Reliquien der Christenheit, die die deutschen Kaiser im

1. Internationale Automobil-Ausstellung in Frankfurt.

Das Goethe-Haus ist wiederaufgebaut.

Mittelalter nach Aachen verbracht haben, dem Volk gezeigt.
Auf dem klassischen Berg der Segelflieger, der Wasserkuppe in der Rhön, wird der Segelflugsport wieder aufgenommen. Es stellt sich jedoch heraus, daß der Ort zu nahe an der »Zonengrenze« liegt.

29. Juli Die Bayreuther Festspiele werden wieder aufgenommen – das 1. Mal ist hier das 75. Mal. Unter der Leitung von Wilhelm Furtwängler, Herbert von Karajan und Hans Knappertsbusch werden »Der Ring des Nibelungen« 2mal, »Parsifal« 6mal und »Die Meistersinger« 7mal gegeben. Die Veranstalter sind glücklich, daß alle Aufführungen ausverkauft sind. Ein Großteil der Karten wird an die Gewerkschaften abgegeben.

28. September Die Bundesanstalt für Arbeitsvermittlung, eine Neugründung, kommt nach Nürnberg.

Der weltberühmte Philosoph Martin Heidegger nimmt seine Vorlesungen nach dem Zweiten Weltkrieg an der Universität Freiburg/Br. wieder auf. Heidegger, einer der Begründer des Existentialismus, hatte sich anfänglich mit dem Dritten Reich liiert. Fast gleichzeitig mit der Wiederaufnahme der Vorlesungen wird er allerdings auch emeritiert.
Die Deutsche Forschungsgemeinschaft wird gegründet.

In Karlsruhe beginnt das Bundesverfassungsgericht mit seiner Arbeit.
In Solingen diskutieren die Stadtväter darüber, ob im städtischen Hallenbad – zum ersten Mal in Westdeutschland – Nacktbaden erlaubt werden soll. Die CDU ist dagegen.

Kleine Freiheit: »Ei, ei, ihm wird so wunderlich – so leicht und doch absunderlich.« Karikatur von Ernst Maria Lang.

Wer regiert die Bundesrepublik?

Sitze der Parteien im Bundestag und in den Länder-parlamenten

Bund Land	Datum der Bundestags- bzw. Land-tagswahl	Gesamtzahl der Abge-ordneten	CDU/ CSU	SPD	FDP	KPD	BHE	DP	Sonstige
Bundestag	14. 8. 1949	402	139	131	52	15	—	17	48
Schleswig-Holst.	9. 7. 1950	69	16	19	8	—	15	7	4
Hamburg	16. 10. 1949	120	—	65	—	5	—	9	41
Niedersachsen	6. 5. 1951	158	35	64	12	2	21	—	24
Bremen	7. 10. 1951	100	9	43	12	6	2	16	12
Nordrh.-Westf.	18. 6. 1950	215	93	68	26	12	—	—	16
Hessen	19. 11. 1950	80	12	47	21	—	—	—	—
Rheinland-Pfalz	29. 4. 1951	100	43	38	19	—	—	—	—
Baden-Württ.	9. 3. 1952	121	50	38	23	4	6	—	—
Bayern	26. 11. 1950	204	64	63	12	-	26	—	39
West-Berlin	3. 12. 1950	127	34	61	32	—	—	—	—

Parteizugehörigkeit der Minister der Bundesregierung und der Länderregierungen

Bund Land	Datum der Bundestags- bzw. Landtagswahl	Parteizugehörigkeit des Bundeskanzlers bzw. der Ministerpräsidenten	Parteizugehörigkeit der Minister bzw. Senatoren							
			CDU/ CSU	SPD	FDP/ DVP	ZP	BDV	BHE	DP	Un
Bundesregierung	14. 8. 1949	CDU	8	—	3	—	—	—	2	—
Schleswig-Holst.	9. 7. 1950	CDU	3	—	—	—	—	2	—	—
Hamburg	16. 10. 1949	SPD	—	11	—	—	—	—	—	—
Niedersachsen	6. 5. 1951	SPD	—	4	—	1	—	3	—	—
Bremen	7. 10. 1951	SPD	2	6	—	—	3	—	—	1
Nordrh.-Westf.	18. 6. 1950	CDU	7	—	—	2	—	—	—	—
Hessen	19. 11. 1950	SPD	—	5	—	—	—	—	—	—
Rheinland-Pfalz	29. 4. 1951	CDU	3	—	2	—	—	—	—	—
Baden-Württ.	9. 3. 1952	FDP	—	5	2	—	—	1	—	—
Bayern	26. 11. 1950	CSU	4	3	—	—	—	—	—	—
West-Berlin	3. 12. 1950	SPD	4	4	4	—	—	—	—	—

Das Land Baden-Württemberg wird erst 1952 neu gebildet.

Die Heimatvertriebenen – ein wesentliches Element deutscher Innenpolitik

Vertriebenentreffen

Zu den herausragenden Ereignissen zählen die jährlichen Treffen der Landsmannschaften aus Ostpreußen, Pommern, Schlesien, der Sudetendeutschen usw. Diese Treffen werden meistens zu Pfingsten abgehalten, Hauptredner sind die führenden Politiker der Bundesrepublik.

Unter diesen Versammlungen fallen oft die Sudetendeutschen besonders auf, obwohl sie ursprünglich weder eine geschlossene Landsmannschaft bildeten, wie etwa die Schlesier, noch dem alten Deutschen Reich angehörten.

Bund der vertriebenen Deutschen

17. November: Der »Bund der vertriebenen Deutschen« wird gegründet. Mitglieder 10 Mill., obwohl er im Zeitpunkt der Gründung nicht alle Landsmannschaften umfaßt und nur für 70% aller Vertriebenen spricht. Erster Vorsitzender: Linus Kather.

Familienzusammenführung

Die Familienzusammenführung stellt in diesen Jahren ein besonderes Problem dar. So lebt auf der Insel Sylt seit ihrer Vertreibung aus Pommern Anna Modrozinski mit ihren 6 Kindern und ihrer Mutter. Ihr Mann ist seit 1943 vermißt. 1949 kehrt er aus der Gefangenschaft zurück, und zwar auch nach Sylt. 2 Jahre lang lebt er dort nur 6 km von seiner Familie entfernt, bis er sie durch Zufall wiederfindet.

Die Vertreibung geht weiter

Während in Westeuropa die Familien zusammengeführt werden, geht in Osteuropa die Vertreibung weiter. In diesem Jahr wird das Banat »geräumt«.

Was ist ein Flüchtling?

Auf deutsche Anregung hin wird in diesem Jahr der Begriff Flüchtling definiert. Anlaß ist der Versuch, ein europäisches Flüchtlingsamt zu schaffen. Die Definition lautet:

Der Begriff ›Flüchtling‹, wie er in der vorliegenden Konvention angewandt wird, soll sich auf jede Person beziehen, die als Ergebnis der politischen Ereignisse der beiden Weltkriege sich nicht an einem ständigen Wohnsitz seiner eigenen Wahl befindet, nachdem sie auf Grund ihrer politischen Meinung, Religion, Nationalität oder ihres rassischen Ursprungs ihren Heimatort unter Zwang oder Drohung von Gewalt verlassen hat.

Die deutschen Kriegsgefangenen

8. Mai: Noch immer befinden sich viele ehemalige deutsche Soldaten in Kriegsgefangenschaft, besonders in der Sowjetunion. Dazu äußert sich am Jahrestag des Kriegsendes Bundespräsident Theodor Heuss:

S. 28/29: Kundgebung der Schlesier in München.

Im Laufe des letzten Jahres hat sich auch, nachdem von den westlichen Mächten ein Schritt in Moskau erfolglos geblieben war, die UNO mit dem Komplex beschäftigt. Veranlaßt war die Aktion durch die jetzt eben im Maibeginn ein Jahr zurückliegende apodiktische Mitteilung der Sowjetagentur, die Rücksendung sei bis auf ca. 14 000 Personen abgeschlossen – diese Ziffer divergierte in so ungeheuerlichem Maße von den Feststellungen, die vorher in innerdeutschen Erhebungen gemacht waren,

SCHLESIEN GESTERN
SCHLESIEN MORGEN
UNSERE

EIMAT IST SCHLESIEN
SCHLESIEN...
EINE GESAMTDEUTSCHE VERPFLICHTUNG!

daß sie nicht bloß in Deutschland, sondern auch in der übrigen Welt zurückgewiesen wurde.
Die besondere Peinlichkeit ist dabei das Verfahren, daß soundsovielen Gefangenen, durch irgendeine Anklage-Erhebung, deren Unterlagen nicht nachprüfbar sind, der Rechtsstatus des Kriegsgefangenen mit seinen übernational vertraglichen Garantien entzogen wird. Ohne einen solchen befinden sich auch die zivilen Verschleppten, für die nach Zahl und Aufenthaltsort eine Übersicht zu gewinnen aus verständlichen Gründen noch viel schwieriger gewesen und geblieben ist – sie sind oft genug einfach aufgegriffen und als Arbeitskräfte weggeführt worden. ...
Es ist ein tragisches Verhängnis, daß der ganze Fragenkreis zu einem Politikum geworden ist, während er ganz simpel ein Humanum, eine Sache der einfachen Menschlichkeit ist, die außerhalb aller Racheinstinkte, außerhalb aller Wirtschaftswertung von Arbeitskraft usf. gesehen und gelöst werden muß. Man kann nicht die Not der willkürlich Zurückgehaltenen und das Leid ihrer Angehörigen in die Tabelle von Kriegsfolgen und Reparationen schreiben – diese Rechnung darf nicht durch das Zufallsschicksal einzelner belastet werden. Es ist nicht bloß ein deutsches Anliegen, es ist ein zwischen allen Völkern notwendiges Gebot, daß dieser seelisch grausamste Abschnitt der Nachkriegszeit zu einem anständigen Abschluß gebracht werde.

Schluß mit der Vergangenheit – Entnazifizierung

Die Zeitungen sind fast jeden Tag voll von Berichten über Prozesse, die die Verbrechen des Dritten Reiches in Deutschland und in den besetzten Gebieten aufklären sollen.
15. Januar: Ilse Koch, die Kommandeuse von Buchenwald, wird zu einer lebensläugli-

Ilse Koch, die »Kommandeuse von Buchenwald«.

chen Zuchthausstrafe verurteilt. Sie hatte sich persönlich an den KZ-Insassen vergriffen.

9. Februar: Unter großer Anteilnahme beginnt ein Prozeß, in dem geklärt werden soll, wie Hitlers Geheimdienstchef Admiral Canaris kurz vor dem Einmarsch der Amerikaner im KZ Flossenbürg am 9. April 1945 umgebracht wurde.

2. Oktober: Der Rat von Stadtoldendorf in Niedersachsen verbrennt in einer feierlichen Zeremonie, die große Beachtung findet, sämtliche Entnazifizierungsakten der Gemeinde. Der Staatsanwalt prüft, wie lange Gemeindeakten aufgehoben werden müssen.

18. Dezember: Der Schriftsteller Hanns Johst, ehemals Präsident der Reichsschrifttumskammer, wird im Berufungsverfahren von der Spruchkammer als »Belasteter« eingestuft und erhält 5 Jahre Berufsverbot.

Die Vergangenheit steht wieder auf – Rechtsextremismus

Die Sozialistische Reichspartei SRP gewinnt in diesem Jahr bei den Landtagswahlen in Niedersachsen 16 Sitze, mehr als die FDP, fast halb soviel wie die CDU. Sie ist eindeutig eine neonazistische Partei auf den Spuren der NSDAP, 6 Jahre nach Kriegsende Grund genug zur allgemeinen Beunruhigung im In- und Ausland.

Otto Ernst Remer

Unter den Führern der neonazistischen SRP macht er besonders auf sich aufmerksam. Er ist kein unbeschriebenes Blatt: Als Major des Wachbataillons schlug er am 20. Juli 1944 die Erhebung in Berlin nieder.
Am 25. Mai wird er wegen übler Nachrede über Mitglieder der Bundesregierung zu 4 Monaten Gefängnis verurteilt. Nun wird er erst recht auf allen Versammlungen als Held gefeiert. Trotz eines Redeverbotes spricht er an möglichst vielen Orten und leitet seine Ansprachen – unter dem Beifall seiner Anhänger – gerne mit den Worten ein: »An sich habe ich Redeverbot...«

Zwei Fliegen mit einer Klappe

Angesichts des Kalten Krieges versucht die Bundesregierung mit der SRP auch gleich die KPD zu verbieten. Die Schriftsätze, mit denen die Verfassungswidrigkeiten festgestellt werden sollen, lesen sich folgendermaßen:

Die Sozialistische Reichspartei

1. Die SRP erweist sich nach ihrer Entstehungsgeschichte, nach ihren führenden Persönlichkeiten, nach ihrer inneren Organisation, nach ihrem Programm, nach ihrer Propaganda und nach dem Verhalten ihrer Anhänger als eine Nachfolgeorganisation der NSDAP. Einer ihrer Hauptredner hat ausdrücklich erklärt, die SRP habe die gleiche Blutgruppe wie die NSDAP.

2. Die SRP geht nach ihrem Charakter als Nachfolgeorganisation der NSDAP sowie auch nach ihrer ganzen Zielsetzung und dem Verhalten ihrer Anhänger darauf aus, die freiheitliche demokratische Grundordnung in der Bundesrepublik zu beeinträchtigen. a.) Die SRP bestreitet der Bundesrepublik die staatsrechtlichen Grundlagen und bekennt sich zur Regierung Dönitz. b.) Die Tätigkeit der demokratischen Parteien wird aufs schwerste diffamiert. Es wird behauptet, sie hätten ihre Lizenzierung nur wegen der Denunziation ehemaliger Parteigenossen erhalten. c.) Die Bundesregierung, die demokratischen Abgeordneten des Bundestages und die sonstigen demokratischen Politiker werden des Landesverrats und des Hochverrats bezichtigt. Ihnen wird jedes Ehrgefühl abgesprochen. Sie werden als Falschmünzer und Falschspieler bezeichnet.

3. In Zusammenhang mit den Ereignissen des 20. Juli 1944 wird eine neue Dolchstoßlüge erfunden und verbreitet.

4. Es wird angedroht, daß jeder, der mit den Alliierten verhandelt habe, später mit einem gerichtlichen Verfahren zu rechnen habe.

5. Andererseits werden die gesetzlichen und verfassungsmäßigen Maßnahmen gegen die Auswüchse der SRP-Betätigung als Terror bezeichnet, der mit Terror vergolten werde.

6. Die gesamtpolitische Lage der Bundesrepublik hat durch das Auftreten der SRP schwere Rückschläge erlitten. Im Inneren sind weite Kreise unseres Volkes zutiefst darüber beunruhigt, daß erneut eine politische Richtung totalitären Charakters das Haupt erhebt. Im Ausland hat das Vertrauen auf eine stetige demokratische Entwicklung des deutschen Volkes einen schweren Stoß erlitten. Diese Gesamtsituation legt der Bundesregierung die Verpflichtung auf, mit allen verfassungsmäßigen Mitteln gegen die SRP einzuschreiten.

Die Kommunistische Partei Deutschlands

1. Die KPD handelt im Rahmen eines von den Machthabern in der Sowjetzone entworfenen und seit Jahr und Tag durchgeführten Angriffsplanes, in dem die KPD das Rückgrat der inneren Aggression darstellt.
2. Die Organisationsprinzipien der KPD – Diffamierung aller Andersdenkenden, Ablehnung jeder ›Fraktionsmacherei‹, schärfster Druck durch die Parteikontrollkommissionen – erweisen die KPD als eine durch und durch undemokratische Organisation.
3. Die KPD erstrebt mit allen Mitteln – auch durch die ›gewaltsame Zertrümmerung der bürgerlichen Staatsmaschine‹ – die ›Diktatur des Proletariats‹, d.h. die Alleinherrschaft dieser Partei.
4. Nahziel der KPD ist es, die Einigung Deutschlands ›auf der festen Basis der Deutschen Demokratischen Republik‹ herbeizuführen und die dort herrschende Ordnung auf die Bundesrepublik zu übertragen. Die von der SED inzwischen geforderte ›Gesamtdeutsche Beratung‹ ist lediglich ein Schachzug, um die Eingliederung der Bundesrepublik in das europäische Verteidigungssystem zu vereiteln. Ernsthafte Bemühungen zur Wiedervereinigung Deutschlands in Frieden und Freiheit werden durch ein Verbot der KPD in der Bundesrepublik nicht berührt.
5. Der von den sowjetzonalen Politikern in der Form des sogenannten ›nationalen Widerstands‹ entworfene Angriffsplan gegen die Bundesrepublik wird von der KPD im Bundesgebiet propagiert und aktiviert. Hierzu gehört

die systematische Untergrabung des Vertrauens der Bevölkerung der Bundesrepublik zu ihren verfassungsmäßigen Organen und zu den Politikern der Koalition und der demokratischen Opposition. Hierzu gehört insbesondere auch die Aufforderung zum Widerstand, zu wildem Streik und zu Ungehorsam gegen die Gesetze.

6. Eine Hauptaufgabe der KPD ist die Unterstützung von rund 50 Organisationen, die Bestandteil der aus der Sowjetzone gesteuerten sog. ›Nationalen Front‹ sind.

7. Die KPD ist die Hauptträgerin der sogenannten ›Volksbefragungsaktion gegen die Remilitarisierung‹. Diese ist nach der Entschließung des Weimarer Parteitages 1951 der KPD ›dazu bestimmt, in den vordersten Reihen der patriotischen Bewegung der Nationalen Front des demokratischen Deutschlands gegen die Spalter der Nation und für die Schaffung eines einheitlichen demokratischen Deutschlands zu kämpfen, dessen feste Basis die Deutsche Demokratische Republik ist.‹

8. Die KPD ist daher in höchstem Maße verfassungsfeindlich und muß von der weiteren Beteiligung an der politischen Willensbildung in der Bundesrepublik ausgeschlossen werden.

Das Saarland – ein zweites Luxemburg?

Das französische Protektorat über das Saarland droht in dieser Zeit mehrfach, den Versuch Adenauers und Schumans, Deutschland und Frankreich miteinander zu versöhnen, zum Scheitern zu bringen.

21. Mai: Der saarländische Ministerpräsident Johannes Hoffmann hat die Demokratische Partei verboten und gibt als Ursache dafür einen Brief des französischen Außenministers Robert Schuman bekannt:

Frankreichs These

Mit der Behauptung, den Willen der saarländischen Bevölkerung zu interpretieren, zielt die DP darauf ab, das Saarstatut durch ein Regime zu ersetzen, das die Existenz eines autonomen Saargebiets leugnet und die endgültige Regelung der Saarfrage vorwegnimmt. Die französische Regierung hat nie bestritten, daß über das Saarstatut endgültig im Friedensvertrag oder in einem ›Ersatzvertrag‹ bestimmt werden muß. Gleichzeitig aber hat sie nie einen Hehl daraus gemacht, daß sie bei den Friedensverhandlungen die These von der politischen Unabhängigkeit der Saar gegenüber Deutschland und ihrer Wirtschaftsunion mit Frankreich aufrechterhalten wird. Daher konnte die französische Regierung nicht ohne Beunruhigung die Tätigkeit einer Partei beobachten, die darauf abzielt, die Grundlagen in Frage zu stellen, auf denen die zwischen unsern beiden Ländern abgeschlossenen Konventionen beruhen.
Ich muß es Ihnen überlassen, jene Maßnahmen zu ergreifen, die Sie als notwendig erachten gegenüber einer Partei, die unter dem Vorwand, einen Beitrag zur europäischen Verständigung leisten zu wollen, auf nichts anderes hinarbeitet als darauf, die öffentliche Ordnung im Saargebiet zu bedrohen, die französisch-deutschen Beziehungen zu stören und dadurch sogar die Verwirklichung und friedliche Entwicklung der europäischen Gemeinschaft zu beeinträchtigen.

Keine neuen Zwergstaaten

30. Mai: Daraufhin erklärt Bundeskanzler Konrad Adenauer vor dem Bundestag:

Ich habe keinen Zweifel darüber gelassen, daß die Saarfrage unter keinen Umständen zu einer Störung der Bemühungen zwischen Deutschland und Frankreich gute Beziehungen herzustellen und damit zu einer Erschwerung des Aufbaues von Westeuropa führen darf. An diesen Grundsätzen hat sich für mich nichts geändert. So unangenehm und störend die von mir erwähnten Vorgänge sind, sie sind zeit- und personenbedingt, sie genügen nicht, sie geben keine Veranlassung, von der Linie der für Deutschland, Frankreich, Europa und den Weltfrieden entscheidenden Politik der Integration Europas und der Herstellung eines guten Einvernehmens zwischen Frankreich und Deutschland abzugehen.

Es sei mir aber gestattet, hier dem dringenden und lebhaften Wunsche Ausdruck zu geben, daß die Weltlage und die Erfordernisse unserer Zeit, die für alle Völker gelten, in Paris das gleiche Verständnis, die gleiche Würdigung finden wie bei uns, auch gegenüber bagatellhaften Querelen aus Saarbrücken. Ich werde an der Verfolgung meiner Europa-Politik trotz aller Zwischenfälle unbeirrt festhalten. Ich lasse mich von der Verfolgung dieser Politik am allerwenigsten durch Herrn Hoffmann aus Saarbrücken abdrängen...

Wir streben auf ein Vereinigtes Europa hin, in dem die Grenzen fallen sollen. Es erscheint mir antiquiert, in diesem Stadium der europäischen Entwicklung noch erst neue Zwergstaaten erhalten zu wollen. Ich kann mir auch nicht denken, welchen überzeugenden Grund die französischen Verfechter dieses Gedankens ins Feld

Abkühlung in der Hochzeitsnacht. Karikatur von Ernst Maria Lang.

führen könnten. ... (Eine) Einigung kann nur nach dem Grundsatz erfolgen, den ich von Anfang an vertreten habe: Frankreich hat wirtschaftliche Interessen im Saargebiet. Wir haben wirtschaftliche und nationale Interessen in diesem Lande. Zwischen diesen Interessen muß im Geiste einer ehrlichen und zu Kompromissen bereiten europäischen Zusammenarbeit ein Ausgleich gefunden werden, der allen gerecht wird, insbesondere aber den Wünschen der Saarbevölkerung selber...
Es paßt uns nicht, wenn Deutsche im Saargebiet auch in der Sprache der Gesetze dieses völkerrechtlich überhaupt nicht als Staat bestehenden Gebietes als Ausländer behandelt werden. Wir möchten, daß damit endlich Schluß gemacht wird... Solange der Status des Saargebietes im Friedensvertrag nicht anders geregelt ist, als er 1945 bestand, bleiben die Bewohner des Saargebietes, die bei Kriegsende deutsche Staatsangehörige waren, in ihrem Verhältnis zur Bundesregierung deutsche Staatsangehörige...
Wenn die Saarfrage im Friedensvertrag gelöst werden soll, so darf die Bundesregierung hinsichtlich der Geltendmachung ihrer Auffassungen im Saargebiet nicht schlechter gestellt sein als die französische Regierung.

Ein Land wie Luxemburg

29. Juli: Der französische Hochkommissar für das Saarland, Gilbert Grandval, erläutert die Absichten Frankreichs für die Zukunft des Landes:

»Die Saar sollte ein souveränes Land wie Luxemburg werden; dank ihrer Industrie und arbeitsamen Bevölkerung könnte sie ihren Einwohnern die gleichen Vorteile bieten wie Luxemburg den seinen. Es besteht kein Zweifel über die französischen Absichten betreffend die Saar. Es war niemals und ist auch nicht die Rede von einer Annexion dieses Landes. Was Frankreich wünscht, ist die Prosperität dieses Gebietes im Rahmen einer wirtschaftlichen Anlehnung an Frankreich. Frankreich fordert eine souveräne Saar.«

Der Europa-Gedanke

Deutschlands Bevölkerung glaubt in diesem Jahr an die Zukunft eines vereinten Europas. 6 Jahre nach Kriegsende ermittelt EMNID, daß 45% der deutschen Bevölkerung ihre Pflicht bei der Verteidigung Europas bejahen. 26% sagen nein.
20. Juli bis 6. September: Auf dem Lorelei-Felsen über dem Rhein trifft sich Europas Jugend. Der Berichterstatter vergißt nicht anzumerken, daß selbstverständlich die Zelte der Mädchen streng bewacht würden.

Das europäische Jugendlager auf der Loreley.

Deutschlands Wiederaufrüstung im Kalten Krieg

Der Kalte Krieg wird durch den Korea-Krieg dermaßen aufgeheizt, daß sehr bald öffentlich die Einbeziehung deutscher Kräfte in eine europäische Armee erwogen wird. Der Plan geht von dem französischen Ministerpräsidenten René Pleven aus und wird daher Pleven-Plan genannt. Er führt naturgemäß, 6 Jahre nach dem 2. Weltkrieg, im In- und Ausland zu heftigen Kontroversen. Einige Auszüge daraus mögen einen Eindruck vermitteln.

Bundespräsident Theodor Heuss

1. Januar: In der Neujahrsansprache über die bevorstehenden Verhandlungen zum Thema Wiederbewaffnung:

Wenn die kommenden Besprechungen einen inneren Sinn haben sollen, dann müssen sie vom Anbeginn nicht den Charakter des bloßen Handelns, des Aushandelns haben – do ut des, gib, daß ich gebe – sondern des Verhandelns. Dem Verhandeln aber ist ein gemeinsames Ziel gesetzt: die Grundlagen des Friedens zu sichern. Der Friede ist für die Deutschen das höchste Gut. Das wissen auch die Deutschen, denen eine Heimat geraubt wurde: Sie hoffen auf Rückkehr, aber sie wollen nicht an frischen Soldatengräbern vorbeiwandern müssen…«

Eisenhower wieder in Europa

Zu Beginn des Jahres kehrt General Eisenhower, ehemals Oberkommandierender der amerikanischen Streitkräfte im 2. Weltkrieg, nach Europa zurück, diesmal als Oberkommandierender der Streitkräfte des Nordatlantik-Paktes (NATO).

Eisenhowers Ehrenerklärung

Kurz darauf kommt Eisenhower in die Bundesrepublik und unterhält sich mit führenden deutschen Politikern und mit den deutschen Generälen Hans Speidel und Adolf Heusinger, die in einem Expertenausschuß zur Unterstützung der westlichen Verteidigung sitzen.

Am 23. Januar gibt General Eisenhower folgende Erklärung zur Ehre des deutschen Soldaten ab:

Bevor ich Deutschland nach diesem ersten kurzen Besuch verlasse, möchte ich zum Ausdruck bringen, daß ich die Gelegenheit begrüßt habe, mit den Hochkommissaren und den führenden Offizieren der alliierten Truppen in Deutschland zu sprechen. Da Deutschland nicht Mitglied der Atlantikpakt-Staaten ist, stand mein Besuch hier unter einem anderen Gesichtspunkt als meine Besuche in anderen Ländern. Ich habe mich aber sehr gefreut, viele leitende deutsche Persönlichkeiten kennenzulernen, die jetzt so wesentlich zum Wiederaufbau dieses Landes beitragen.
Auf Grund dessen, was ich gesehen und gehört habe, bin ich tief beeindruckt von dem politischen und wirtschaftlichen Fortschritt, den Deutschland seit 1945 auf dem Wege zu einer demokratischen Gemeinschaft gemacht hat. Wie ich schon gestern abend dem Bundeskanzler und anderen deutschen Herren gesagt habe, weiß ich jetzt, daß ein wirklicher Unterschied zwischen dem deutschen Soldaten und Offizier einerseits und Hitler und seinen verbrecherischen Helfern andererseits besteht. Was mich betrifft, so bin ich nicht der Ansicht, daß der deutsche Soldat als solcher seine Ehre verloren hätte. Die Tatsache, daß gewisse Einzelpersonen im Kriege unehrenhafte und verächtliche Taten begangen haben, fällt auf die dabei beteiligten Personen zurück und nicht auf die große Mehrheit deutscher Soldaten und Offiziere.

ABSENDER:
WESTUNION

Wie gleichberechtigt ist die Bundesrepublik?

Wenige Tage vorher setzt sich der Vorsitzende der Bundestagsfraktion der FDP, August Martin Euler, mit dem britischen Hochkommissar Sir Ivone Kirkpatrick auseinander und macht den Widerspruch klar: auf der einen Seite besetztes Land mit beschränkten Rechten, auf der anderen Seite die Aufforderung, sich voll zu beteiligen:

Die Aufforderung Sir Ivone Kirkpatricks, die Bundesrepublik möge sich unzweideutig für oder gegen eine Verbindung mit den westlichen Nationen entscheiden, entbehrt jeder Grundlage. Die Bundesrepublik, die Regierungsparteien und die sozialdemokratische Opposition haben niemals einen Zweifel darüber gelassen, daß sie die feste Eingliederung Deutschlands in die Welt der freien Völker anstreben; sie haben keine Gelegenheit vorübergehen lassen, um ihre klare Ablehnung der Welt des kommunistischen Terrors auszudrücken. Die deutsche Bevölkerung hat bei allen Wahlen der letzten Jahre dem Kommunismus eine entscheidende Absage erteilt. Kein einflußreicher Politiker der Bundesrepublik vertritt eine Politik des Gegeneinanderausspielens der verschiedenen Mächte.
Leider läßt die Politik der westlichen Mächte gegenüber der Bundesrepublik dieselbe Unzweideutigkeit vermissen. Die westlichen Mächte halten hartnäckig an verjährten Maßnahmen der Unterdrückung und Beschränkung Deutschlands fest, statt schnell ihre Beziehungen zur Bundesrepublik auf eine Weise zu ändern, die der grundstürzend veränderten Weltlage entspricht. Es ist die Deutschlandpolitik der Westmächte, die in breiten Schichten des deutschen Volkes den Zweifel weckt, ob man eine faire Partnerschaft mit Deutschland will, auf die die Prinzipien der freien Welt auch zugunsten Deutschlands uneingeschränkt angewandt werden. Sir Ivone Kirkpatrick sollte verstehen, daß die Fortsetzung gewisser Demontagen 14 Monate nach dem Petersber-

S. 42: »Gebranntes Kind scheut das (die) Feuer-(waffe)...«. Karikatur von Ernst Maria Lang.

ger Abkommen, die Fortsetzung der Bombardierung Helgolands, das Festhalten deutscher Soldaten in den Gefängnissen westlicher Mächte, die Fortsetzung gewisser Prozesse mit zweifelhaften Rechtsgrundsätzen, die Aufrechterhaltung von Wirtschaftsbeschränkungen, die längst sinnlos geworden sind, von der deutschen Bevölkerung nicht als freundliche Einladungen zur festen Eingliederung Deutschlands in die Welt der freien Völker aufgefaßt werden können.

Die Neutralisierung der Bundesrepublik

10. Februar: Bundeskanzler Konrad Adenauer erläutert in einer Rede die Folgen einer Neutralisierung der Bundesrepublik, beziehungsweise ganz Deutschlands, wie sie die Sowjetunion anstrebt:

...Die Vorschläge, die Sowjetrußland auf der Viererkonferenz machen wird, sind in ihren Konturen schon seit geraumer Zeit zu erkennen. Wenn man die Presse der verschiedenen Länder und die mehr oder weniger offiziösen Mitteilungen aufmerksam verfolgt, dann konnte man schon seit geraumer Zeit wissen, daß auf dieser Viererkonferenz Sowjetrußland beantragen wird, die Einheit Deutschlands wiederherzustellen und Deutschland völlig entmilitarisiert zu lassen – ich nehme an, das schließt in sich, daß die Volkspolizei abrüstet – und gleichzeitig Deutschland zu neutralisieren.

Dieses Wort von der Neutralisierung Deutschlands hat einen verführerischen Klang, namentlich für ein Volk wie das unsrige, das so schwer und so hart gelitten hat in diesen beiden Kriegen. Wir wollen in Frieden unserer Arbeit nachgehen, wir wollen unser Vaterland wieder aufbauen, laßt die anderen ihre Händel ausfechten, dort, wo sie wollen!

Aber man muß doch die Frage, was aus einem neutralisierten Deutschland werden würde, sehr kühl und sehr ruhig prüfen. Wenn Sie sich vorstellen, es käme, was Gott verhüten wolle, wirklich zum heißen Krieg zwischen dem Ostblock und den Atlantikpaktstaaten, die geschieden und getrennt sind durch das waffenlose, wehrlose, zwischen ihnen liegende Deutschland, glauben Sie, daß dann einer der beiden Kriegführenden diese Grenze des neutralisierten Deutschlands berücksichtigen würde? Ich bin überzeugt, daß keiner sie berücksichtigen würde. Wir würden zerquetscht werden zwischen diesen Kolossen und es würde die Kriegsfurie, die jetzt in Korea hin- und herrast, auch über unser Vaterland hin- und herrasen, und das wäre der Untergang des deutschen Volkes. Neutralität ist nur dann gesichert, wenn das Land, das neutral ist oder neutralisiert ist, so stark ist, daß es seine Neutralität gegenüber jedem aus eigener Kraft verteidigen kann.

Das böse Beispiel

Sie müssen mir schon gestatten, daß ich gerade dieser Frage einer etwaigen Neutralisierung Deutschlands etwas mehr Zeit widme, denn diese Frage wird auf der kommenden Viererkonferenz eine Hauptfrage werden. Lenken Sie bitte Ihre Blicke in die Geschichte etwas zurück. Denken Sie an Belgien, dessen Neutralität weder 1914 noch 1939 geachtet worden ist, denken Sie daran, daß die Neutralität Hollands im Jahre 1940 nicht geachtet worden ist; denken Sie bitte daran, daß das Hitler-Deutschland sogar einen Nichtangriffspakt mit Polen abgeschlossen hatte, und denken Sie daran, daß auch zwischen Sowjetrußland und Polen damals solche Abmachungen bestanden, und vergegenwärtigen Sie sich, wie Polen von beiden Seiten, sowohl von der deutschen Seite wie von der sowjetrussischen Seite gefaßt worden ist. Berücksichtigen Sie, daß nach der Leninschen Theorie jeder Krieg gerecht ist, den eine angeblich unterdrückte Klasse in einem Land gegen die Kapitalistenklasse führt, und daß Sowjetrußland sich für berechtigt hält, in einem solchen Falle einzugreifen. Sowjetrußland hat im Jahre 1939 Finnland angegriffen, es hat im Jahre 1939 die 3 baltischen Staaten besetzt, es hat im Jahre 1940 Rumänien vergewaltigt.

Sie sehen, die beiden totalitären Staaten, sowohl das Hitler-Deutschland wie Sowjetrußland, haben sich um Verträge nicht gekümmert.

Das einzige Beispiel aus den letzten Jahrzehnten, das wir

haben, in dem ein Staat in Zentraleuropa inmitten eines Kriegsgebietes wirklich seine Neutralität hat behaupten können, das ist die Schweiz. Aber warum konnte die Schweiz das? Weil die Schweiz bis an die Zähne bewaffnet war, und weil jeder, der an die Schweiz heranwollte, wußte: Das wird für dich eine sehr harte Nuß werden, die du am besten ruhig liegenläßt!

Ich wiederhole nochmals: Nicht-bewaffnete Neutralität heißt im Falle eines heißen Krieges für ein Land, das mitten zwischen den Kriegführenden liegt, dem Untergange geweiht zu sein.

Zwischen zwei Polen

Nun werden Sie die Frage an mich stellen: Wenn es nicht zum heißen Krieg kommt, soll man nicht für diesen Fall die Neutralität wünschen? Oder Sie werden vielleicht die Frage stellen: Wird nicht die Neutralisierung Deutschlands die Gefahr eines heißen Krieges beseitigen? Mit diesen Thesen wird man in manchen Ländern operieren. Ich will versuchen, Ihnen auf diese beiden Fragen zu antworten.

Wenn Deutschland neutralisiert würde und wenn es nicht zum heißen Krieg zwischen dem Ostblock und den Atlantikpaktstaaten kommt, würden wir in wenigen Jahren rettungslos auf irgendeine Weise ins Kraftfeld Sowjetrußlands kommen. Es würde aber auch dadurch die Integration, die Vereinheitlichung Europas verhindert werden, und das ist ja auch der Zweck Sowjetrußlands, wenn es auf der Viererkonferenz sagen wird: ›Ich bin bereit, einen großen Preis zu zahlen, wenn die Aufrüstung Deutschlands unterbleibt.‹ Es würde verhindert werden die Vereinheitlichung Europas und wir würden dann zwischen dem starken Pol Sowjetrußlands und den schwachen westeuropäischen Ländern liegen. Die fünfte Kolonne würde das ihrige tun und wir würden in wenigen Jahren, das ist meine felsenfeste Überzeugung, hier genau die gleichen Verhältnisse haben wie jetzt in der Sowjetzone.

Ich habe nun eben selbst die Frage aufgeworfen: Würde nicht durch eine Neutralisierung Deutschlands die Gefahr eines Krieges ausgeräumt werden? Auf der Brüsseler Konferenz ist, nach den Nachrichten, die darüber bekannt geworden sind, die Rede gewesen von etwa 10 bis 15 Divisionen, die eventuell Deutschland stellen soll. 10 bis 15 Divisionen sind zwischen 200000 und 250000 Mann. Glaubt einer im Ernst, daß Sowjetrußland wegen 200000 bis 250000 Mann deutscher Soldaten einen Weltkrieg entfesseln würde, dieses Rußland, das allein in der Sowjetzone rund 30 schwer bewaffnete Divisionen seit Jahren stehen hat? Sowjetrußland weiß es ganz genau, daß diese 10 bis 15 deutsche Divisionen ihm nichts tun werden, und Sowjetrußland weiß ganz genau, daß die Atlantikpaktstaaten keine Aggressionsabsichten haben.

Das sowjetische Machtstreben

Aber ich habe schon eben angedeutet, Sowjetrußland bezweckt etwas ganz anderes mit dem Aufwerfen dieser Frage. Es ist sich völlig darüber klar, daß ohne Deutschland eine Integration Europas ausgeschlossen ist. Es weiß dann, daß es im Kalten Kriege sein Ziel, die Herrschaft über ganz Europa zu erreichen, über kurz oder lang erlangen würde.

Sowjetrußland hat seit dem Jahre 1945 in irgendeiner Form Gebiete in seinen Herrschaftsbereich gezogen von insgesamt 12 Mill. qkm. Das ist ungeheuer; zum Vergleich diene die Größe des Deutschen Reiches, im Jahre 1936 ein Gebiet von rund 480000 qkm. Alles das hat Rußland erreicht, ohne russisches Blut zu vergießen. Rußland will keinen heißen Krieg. Es will vor allem keinen heißen Krieg mit den Atlantikpaktstaaten, weil es weiß, daß es, in einen Krieg mit den Atlantikpaktstaaten letzten Endes der Verlierer sein wird. Es würde zwar Anfangserfolge erreichen, aber im Endresultat würde es eine vernichtende Niederlage erleiden...

Ob Deutschland neutralisiert wird oder ob es nicht neutralisiert wird, das ändert an der Einstellung Sowjetrußlands zum heißen Krieg gar nichts. Sowjetrußland ist sehr kühl und sehr klar in seiner Politik. Es kennt genau die Ziffern, die ich eben genannt habe. Aber es wird nicht aufhören, mit den Mitteln des kalten Krieges seine imperialistischen Ziele mit größter Energie weiter zu verfolgen, mit den Mitteln, die ihm in den letzten Jahren zu solchen Erfolgen verholfen haben. Die Neutralisierung Deutschlands würde ein Unglück für Europa sein, würde ein Unglück sein für das deutsche Volk und gegen diese Neutralisierung bei gleichzeitiger Demilitarisierung werden wir uns mit aller Macht wenden müssen. Lassen Sie mich zum Schluß Ihnen sagen, was unser Ziel ist. Was ist das Ziel der Bundesregierung? Was muß das Ziel des ganzen Deutschen Volkes sein? Ich meine, unser Ziel müßte sein, Europa unter Einschluß eines freien Deutschlands aufzubauen und für den Frieden in der ganzen Welt einzutreten.

Für oder gegen die Wiederaufrüstung

In den USA

Der amerikanische Hochkommissar John J. McCloy erläutert im amerikanischen Rundfunk die Politik gegenüber der Bundesrepublik (Ende Juni):

In erster Linie ist unsere Politik keine, die ein Wiederauferstehen des deutschen Militarismus vertritt oder billigt. Die USA und ihre Verbündeten vertreten heute genauso entschlossen wie je zuvor den Standpunkt, daß es keinen deutschen Generalstab im alten preußischen Sinne, keine Militärkaste mit ihrer einstigen politischen und sozialen Machtstellung und keine deutsche nationale Armee geben wird, die zum Urheber oder zum Instrument einer zukünftigen Aggression werden könnte. Fundamentaler Grundsatz aller bisher in diesem Zusammenhang gemachten Vorschläge ist es, daß jeglicher deutscher Verteidigungsbeitrag nur in Form einer Streitmacht erfolgen darf, die einen integralen Bestandteil einer größeren internationalen Organisation darstellt. Diese Voraussetzungen für einen deutschen Beitrag sind von entscheidender Bedeutung. Falls sich das deutsche Volk zu einem Beitrag zur Verteidigung des

Westens entschließt, so wird er nur in Übereinstimmung mit diesen Bedingungen erfolgen, und es werden alle Vorkehrungen getroffen, um ihre Einhaltung sicherzustellen. Ich freue mich, feststellen zu können, daß wir Beweise vorliegen haben, denen zufolge die Deutschen selbst es so wollen.

In Frankreich

Ebenfalls Ende Juni äußert sich der französische Delegierte Hervé Alphand, der Frankreichs Interessen in dieser Sache sowohl bei der NATO wie in den europäischen Gremien vertritt:

Es ist wirklich bezeichnend, daß der gleiche, Frankreich vertretende Delegierte im atlantischen und im europäischen Hause wirkt. Das ist die deutliche Demonstration der französischen Opposition gegen jede deutsche Beteiligung an der gemeinsamen Verteidigung, die nicht gleichzeitig europäisch ist. Frankreich faßt eine deutsche Beteiligung nur als eine völlig in eine europäische Armee integrierte, d.h. denationalisierte ins Auge.
Wer spricht von einer deutschen Armee? Es wird keine deutsche Armee geben, ebensowenig wie eine französische, italienische oder belgische Armee. Die gesamte Konstruktion beruht in der Tat auf dem Begriff Integration. Übernationale Organismen, wovon der europäische Hochkommissar für die Verteidigung, der im Pleven-Plan vorgesehen ist, ein entscheidendes Element bleibt, werden die Aufgabe haben, diese Kontingente im gemeinsamen Interesse aufs beste zu nutzen. Die genaue Dimension der Basiseinheiten wird somit an Bedeutung gegenüber den europäisch formierten Kaders verlieren, die unter dem Befehl eines europäischen Generalstabes stehen.

In Großbritannien

16. September: Kriegsminister John Strachey erläutert in einer Rede, warum Großbritannien sich für eine europäische Armee mit deutscher Beteiligung entschieden hat:

Wir kamen immer mehr zu der Überzeugung, daß der richtige Weg nicht die Wiederaufrüstung Deutschlands ist, sondern die Aufrüstung Europas. Nicht eine deutsche Armee ist nötig, sondern eine europäische. Dies war vorab die Ansicht der Franzosen, und ich bin verpflichtet, festzustellen, daß sie recht gehabt haben.
Unsere Bedenken gegenüber der Schaffung einer Europa-Armee betrafen im wesentlichen die Frage ihrer militärischen Organisation, denn, soviel ich weiß, hat man noch nie versucht, eine gemeinsame Armee aufzustellen mit dem Ziel, eine Anzahl einzelner souveräner Staaten zu verteidigen. Es ist wichtig, daß wir das Problem realistisch betrachten. Der Gedanke einer Europa-Armee stößt bei seiner Ausführung unzweifelhaft auf große praktische Schwierigkeiten.
...Aber verlieren wir nie die akuten Probleme aus den Augen, die allein eine Europa-Armee lösen kann: 1. verschafft die Europa-Armee ein Mittel, mit dem deutsche Truppen zur Verteidigung Westeuropas eingesetzt werden können. Aber diese deutschen Truppen werden Teil einer Organisation sein; Deutschland wird nie mehr in der Lage sein, seine europäischen Schwesterstaaten anzugreifen. 2. – und dies ist meiner Meinung nach ebenso wichtig – könnten deutsche Truppen als Teil einer Europa-Armee nie selbständig gen Osten marschieren; denn sie sollen überhaupt nicht in die Lage versetzt werden, sich selbständig in Bewegung zu setzen. Mit einem Wort, die deutschen Truppen einer Europa-Armee könnten nur zu einem einzigen Ziel, aber einem lebenswichtigen, nämlich der Verteidigung ihres eigenen Landes als eines wichtigen Teils in Westeuropa, eingesetzt werden.

Gegner der Wiederbewaffnung

Ende des Jahres äußert sich Hugh Dalton für die Labourpartei, die wesentlich größere Schwierigkeiten hat, sich mit der deutschen Wiederbewaffnung anzufreunden als die jeweils regierenden konservativen Regierungsparteien:

Die Deutschen halten ihre Ziele hinsichtlich Osteuropas nicht geheim. Sie gehen darauf aus, weite Gebiete, die jetzt polnisch, tschechisch oder russisch sind, wiederzugewinnen. Wie kann das ohne Krieg geschehen?... Ein starkes, bewaffnetes Deutschland kann ein eifriger Speerträger in einer antirussischen Kombination sein oder aber es kann versuchen, sich mit Rußland, wie im Jahre 1939, zu verbinden... Auf jeden Fall wird die deutsche Wiederbewaffnung ein unwiderrufliches Stadium auf dem Wege zur Hölle auf der Erde sein. Ich hoffe sehr ernsthaft, daß die Herrn Churchill und Eden während ihrer bevorstehenden Verhandlungen in Washington keine Zusagen machen werden, welche uns alle binden, diesen Weg zu gehen.

Der Verband Deutscher Soldaten

In diesem Jahr formieren sich die Angehörigen der ehemaligen deutschen Wehrmacht und versuchen, ihre Interessen gemeinsam zu vertreten. Angesichts der neuen Situation wendet sich der neu gegründete Verband Deutscher Soldaten gegen eine Diskriminierung deutscher Soldaten:

Wir wollen in allen entscheidenden militärischen Fragen unsere Meinung geltend machen. In diesem Zusammenhang haben wir im besonderen die Frage einer Beteiligung an der Verteidigung Europas im Auge, wofür eine deutsche Gleichberechtigung in jeder Beziehung und die Freilassung unserer Kameraden, die immer noch ungerechterweise gefangengehalten werden, unabdingbare Voraussetzungen sind. Jedes persönliche Interesse der Einzelperson muß der großen Aufgabe untergeordnet werden, der große Sammelpunkt für Ordnung in unserem zerrissenen und gespaltenen Vaterland zu werden.
Ein erhabenes Ziel verlangt gemeinsames Vorgehen. Wir rufen daher alle früheren Kameraden auf, sich hinter diesen Aufruf zu stellen. Keiner möge zurückstehen. Wir lehnen jeden Radikalismus ab. Die neue Organisation ist unparteiisch und von allen Interessengruppen, Regierungen und Besatzungsmächten unabhängig.

Besonders wortstark tritt der ehemalige General der Fallschirmjäger Bernhard Hermann Ramcke auf, so daß die Bundesregierung Schwierigkeiten hat, die Besorgnisse des In- und Auslandes ob dieser Töne zu beschwichtigen.

Die Stellungnahme Niemöllers

Im Advent versucht der hessische Kirchenpräsident Martin Niemöller, die Problematik in 5 Thesen zu erfassen:

1. Wir haben zu bezeugen, daß die im öffentlichen und privaten Leben herkömmliche Scheidung in zwei Bereiche, wo hier zwar das Wort Gottes, dort aber das Gesetz der Wirklichkeit regiert, uns vom Evangelium her verwehrt ist.
2. Die christliche Verkündigung tritt jeder Glorifizierung des Krieges entgegen. Sie widersteht dem Dogma von der ›hehren Notwendigkeit des Krieges‹.
3. Die Predigt des Evangeliums kann sich nicht damit abfinden, daß der Gegensatz zwischen Ost und West auf die allzu einfache Formel gebracht wird: hier Licht, dort Finsternis, hier christliche Welt, dort Antichristentum, und daß darum eine kriegerische Auseinandersetzung mit dem Osten als Kreuzzug verbrämt wird. Sie wird aufzudecken haben, daß ein Eintreten für westliche Kultur und Wirtschaftsordnung nicht mit einer Entscheidung für Christus gleichzusetzen ist, und daß sich hinter der christlichen Fassade unserer westlichen Welt und Lebensform Ungerechtigkeit verbirgt.
4. Angesichts der Problematik des Krieges überhaupt und insonderheit des heutigen Krieges wird die christliche Gemeinde sich dafür einsetzen, daß derjenige, der den Kriegsdienst verweigert, nicht als Verbrecher behandelt wird, sondern daß ihm ein entsprechender gesetzlicher Schutz gewährt wird.

5. Der Prediger des Evangeliums hat den Auftrag, der Kriegsangst entgegenzutreten, die gerade heute das Denken und Handeln der Menschen weithin beherrscht. Angesichts einer womöglich noch bewußt gelenkten Angstpsychose, die zur akuten Kriegsgefahr werden kann, bezeugt die christliche Verkündigung, daß wir unser Vertrauen nicht auf Rüstungen, sondern auf den Herrn der Geschichte setzen dürfen und uns darum nicht fürchten sollen.

Wer will unter die Soldaten?

EMNID stellt fest, daß im November 1950 nur 14% der Bevölkerung einer deutschen Wiederbewaffnung zustimmen. Im März 1951 sind es bereits 28%, unter den Frauen stimmen 10% zu. In der enormen Steigerung wirkt sich der Korea-Krieg aus.
Gleich bleibt jedoch die Zahl derjenigen, die von Juni 1949 bis März 1951 für eine nationalstaatliche Armee oder für eine europäische Armee stimmen: Für eine nationaldeutsche Armee sind immer 32%, für einen deutschen Anteil an einer europäischen Armee ist immer die Hälfte der Bevölkerung. In diesen 50% drückt sich die Wirksamkeit des Europa-Gedankens in den 50er Jahren aus.

Wann kommt der nächste Weltkrieg?

EMNID fragt, wer glaubt, daß innerhalb der nächsten 3 Jahre ein neuer Weltkrieg zu erwarten ist:

	Juli 1950	März 1951
unwahrscheinlich	17	28
wahrscheinlich	35	21
möglich	48	51

Mit anderen Worten: Die Deutschen glauben nicht mehr, daß der Korea-Krieg auf Europa übergreift.

Was kosten die Besatzungsmächte?

Die Alliierten verlangen in diesem Jahr von der Bundesrepublik 6,6 Mrd. Besatzungskosten. Das sind 6,3% des Volkseinkommens und 1,13 Mrd. DM mehr als im Vorjahr. Über dieser Summe kommt es zu ernsthaften Differenzen zwischen Bundeskanzler Konrad Adenauer und seinem Finanzminister Fritz Schäffer einerseits und den alliierten Hochkommissaren andererseits.

Radio Free Europe

1. Mai: In München wird der *Sender Free Europe* in Betrieb genommen. Er soll Osteuropa mit Nachrichten aus der »freien Welt« versorgen.

Fraternisierung

Die sogenannte Fraternisierung schreitet fort. Der amerikanische Hochkommissar McCloy erzählt, daß zwar die älteren Amerikaner noch Schwierigkeiten hätten, die Deutschen zu verstehen, aber die Kinder nicht mehr. Neulich sei ein amerikanischer Junge vom Fußballspielen nach Hause gekommen und habe seinen Eltern erzählt: »Heiliges Blechle, d'Leut' wellet net glaube, daß i aus Schikago ben.« Die Eltern wüßten heute noch nicht, was ihr Kind gesagt hat.

Ostzone – Sowjetzone – DDR

Die Auseinandersetzung um den Schuman-Plan und die Wiederaufrüstung

Das Jahr ist erfüllt mit Botschaften von Ost nach West und umgekehrt, die im wesentlichen dem Zwecke dienen sollen, die Westintegration der Bundesrepublik zu verhindern. Einige Auszüge mögen einen Eindruck von Inhalt und Stil dieser Auseinandersetzung vermitteln.

Jakob Kaiser, Minister für Gesamtdeutsche Fragen, ergänzt eine Erklärung Adenauers zu einer Initiative der DDR Mitte Januar:

Die Erklärung des Bundeskanzlers läßt erkennen, welche Gründe für die Stellungnahme zum Grotewohl-Brief maßgeblich sind. Ich darf dieser Erklärung meinerseits einiges hinzufügen. Ich weiß, daß manch einer in der Bundesrepublik und in der Sowjetzone an den Schritt Grotewohls immerhin Hoffnungen geknüpft hat. Wir haben vor allem im Denken an unsere Landsleute in der Sowjetzone Verständnis dafür. Wir haben Verständnis dafür, daß sie sich in ihrer Not an jeden Strohhalm klammern, um aus ihrer bedrückten Lage erlöst zu werden. Wir haben auch Verständnis dafür, daß sich die Bevölkerung der Bundesrepublik von dem Alptraum befreit sehen möchte, den die Bedrohung aus dem Osten darstellt.

Das Ziel ist die Einheit Deutschlands

Ich versichere demgegenüber noch einmal, daß nichts unversucht bleiben wird, was uns der deutschen Einheit näherbringen kann. Aber wir müssen wachsam bleiben, daß nicht ganz Deutschland eines Tages unter kommunistischen Einfluß gerät. Damit würden wir nicht nur der Bundesrepublik, sondern auch und vor allem der Bevölkerung in der Sowjetzone den schlechtesten Dienst erweisen. Dann müßten wir wirklich alle Hoffnung auf ein besseres Leben in einem freien Gesamtdeutschland endgültig begraben. Deshalb bleibt größte Zurückhaltung gegenüber den Vorschlägen des Grotewohl-Briefes geboten.

Der Gesamtdeutsche Konstituierende Rat

Nehmen wir z. B. den Vorschlag zur Bildung eines Gesamtdeutschen Konstituierenden Rates. Dieser Rat soll die Bildung einer provisorischen Regierung sowie einen Friedensvertrag mit Gesamtdeutschland vorbereiten. Und schließlich könne er auch – so wird ausgeführt – die Vorbereitung der Bedingungen von freien gesamtdeutschen Wahlen übernehmen. Schon die Reihenfolge dieser Aufgabenstellung für einen solchen Rat entspricht der kommunistischen Taktik, die ich selbst in der Politik um die Sowjetzone zur Genüge kennengelernt habe. Der Vorschlag einer paritätischen Zusammensetzung des Konstituierenden Rates zeigt trotz aller Gegenbeteuerungen der SED die Absicht, jede mögliche Überstimmung von vornherein auszuschließen. Durch diese Taktik haben die Kommunisten in der Sowjetzone in vergleichbaren provisorischen Gremien genügend vollendete Tatsachen zu schaffen gewußt. Im übrigen hat ja auch Herr Grotewohl diese kommunistische Methode am eigenen Leibe erfahren. Er ist – wie alle Welt weiß – ihr Opfer geworden.

Die scheinbare demokratische Grundlage derartiger Gremien dient lediglich dazu, Unerfahrenen Sand in die Augen zu streuen. Das gilt in diesem Falle nicht zuletzt für die Bevölkerung der Bundesrepublik. Nach allen Erfahrungen und so wie die Dinge heute liegen, bedarf es keines Konstituierenden Rates. Sondern es bedarf der Durchführung freier gesamtdeutscher Wahlen für eine Nationalversammlung. Dieser Nationalversammlung muß es obliegen, alle weiteren Schritte im Namen des ganzen deutschen Volkes zu unternehmen. Nur so kann durch den freien Willen aller Deutschen die Einheit Deutschlands verwirklicht werden. Wem es ehrlich um eine freie und nicht um eine kommunistische Einheit Deutschlands geht, der muß freie Wahlen zu einer Nationalversammlung an die Spitze aller Aktionen für die Einheit Deutschlands stellen. Der Grotewohl-Brief kehrt die Reihenfolge um. Das läßt erkennen, daß man über den ›Gesamtdeutschen Konstituierenden Rat‹ kommunistische Ziele zu erreichen hofft.

Im Interesse der Sowjetunion

Im übrigen steht wohl außer Zweifel, daß der Brief nicht aus eigenem Antrieb und nicht im Interesse unseres Volkes geschrieben wurde, sondern im Interesse jener Macht, die bisher systematisch alle Versuche verhindert hat, die Einheit Deutschlands in Freiheit wiederherzustellen. Niemand würde es mit größerer Erleichterung aufnehmen als wir – die Deutschen –, wenn die Sowjetunion diese Haltung aufgeben würde, wenn sie sich mit der Durchführung freier gesamtdeutscher Wahlen abfinden würde. Darüber könnte die Viermächtekonferenz immerhin Aufschluß geben. Wir können nur der Hoffnung Ausdruck geben, daß die vier Besatzungsmächte über diese Frage zu einer Einigung kommen. Diese Einigung scheint uns Voraussetzung zu sein für jede Verhandlung über die Durchführung wirklich freier Wahlen zu einer deutschen Nationalversammlung.

Was müssen die Deutschen lernen?

Im Februar nutzt der Ministerpräsident der DDR, Otto Grotewohl, die Gedenkfeier für die Toten des Luftangriffs auf Dresden zu den folgenden Überlegungen:

Das deutsche Volk muß aus den Beispielen von Dresden, Warschau, Stalingrad, Hiroshima und Korea die Lehre ziehen. Die Deutschen müssen der Wiederaufrüstung Westdeutschlands durch die amerikanischen Imperialisten Widerstand leisten. Das deutsche Volk und die deutsche Jugend sind zu gut, um den amerikanischen Kapitalisten als Kanonenfutter zu dienen. Durch seine Revanche- und Remilitarisierungspolitik für Westdeutschland hat Adenauer bewiesen, daß er nicht fähig ist, die Interessen des deutschen Volkes wahrzunehmen. Er selbst ist zu eng mit den ausländischen Kriegshetzern verbunden. Adenauer täuscht sich, wenn er glaubt, das deutsche Volk werde sich mit seiner ablehnenden Antwort auf die Wiedervereinigungsvorschläge abspeisen lassen. Der Widerstand gegen die Wiederaufrüstung wird zum vordringlichsten Problem der gesamten deutschen Politik werden.

Adenauer lehnt eine Volksabstimmung über die Wiederaufrüstungsfrage in Westdeutschland ab. Wie kann man von Demokratie reden, wenn das deutsche Volk nicht das Recht hat, das erste und das letzte Wort zu sagen? Wie kann man von Demokratie reden, wenn Mister Adenauer in Bad Homburg mit dem amerikanischen General Eisenhower über den Verkauf von Deutschen an die Atlantik-Armee verhandelt? Wir verlangen eine Aussprache der Deutschen am ›Runden Tisch‹ – ohne Bedingungen. Wer immer an solchen Besprechungen teilnimmt, muß dies tun, ohne zuvor Bedingungen zu stellen – in aufrichtiger, ehrlicher Bereitschaft, unserem Vaterland und unserm Volk unter allen Umständen den Frieden zu erhalten. Dies ist die Meinung meines Vorschlages; wir sollten alle Fragen, die Adenauer gestellt hat, diskutieren, gleich zu Beginn, ohne Tagesordnung und ohne bestimmte Regeln festzusetzen oder vorher Bedingungen zu stellen.

Heuss antwortet

16. Mai: Bundespräsident Heuss antwortet auf einen persönlichen Appell des Staatspräsidenten der DDR, Pieck, das Verbot der Volksbefragung zur Wiederbewaffnung der Bundesrepublik aufzuheben:

Ein persönlicher Appell des Herrn Pieck, wenn man das Wort gebrauchen will, schien so oder so seit geraumer Zeit fällig zu sein. Der Beschluß der Bundesregierung, die Durchführung der sogenannten Volksbefragung im Gebiet der Bundesrepublik zu untersagen, hat die Zustimmung einer überwältigenden Mehrheit des Bundestages, aller Bundesländer und der breiten Bevölkerung gefunden. Ich selber habe mich dieser Haltung angeschlossen. Ich bedarf keiner Ermahnung zur Erfüllung meiner Amtspflicht. Die Zweckmäßigkeit einer politischen Entscheidung, die der Sicherung der staatlichen Ordnung und der sozialen Ruhe dient, wird nicht der Beurteilung dessen unterstellt, der diese bedroht..., sondern den Geboten einer friedlichen Lebensnotwendigkeit.

Wird die DDR bewaffnet?

Im Hochsommer äußert sich Otto Grotewohl zu der Frage einer Bewaffnung der DDR anläßlich der Weltjugendfestspiele:

Wenn hier die Frage aufgeworfen ist, ob wir, wenn eine Armee in Westdeutschland gebildet wird, dazu übergehen würden, auch bei uns eine Armee zu bilden, so ist unsere Antwort darauf bereits in den Worten gegeben, die ich eben vor Ihnen ausgesprochen habe. Wir sind gegen die Wiederaufrüstung, nicht nur in Westdeutschland, sondern in ganz Deutschland, weil Deutschland sich friedlich, ernst, geschlossen und einheitlich eine neue Zukunft aufbauen soll!
Der Vertreter einer westlichen Zeitung hat hier wieder mit einem frommen Augenblinzeln die naive Frage aufgeworfen, ob ich bereit wäre, über den ›militärischen‹ Charakter der Volkspolizei der DDR Auskunft zu geben. Ich kann Ihnen darüber keine Auskunft geben, denn die Volkspolizei der DDR hat keinen militärischen Charakter. Unsere Volkspolizei setzt sich zu 90% aus Arbeitern zusammen, und sie hat die Aufgabe, den friedlichen Aufbau der DDR gegen Saboteure, Spione und Diversanten zu schützen, und sie wird das tun!
Wir sind bereit, ein Abkommen mit unseren Landsleuten in Westdeutschland zu treffen, über die Aufstellung einer einheitlichen deutschen Polizei, die den Charakter einer Polizei trägt, die hinsichtlich ihrer Kontingente, ihrer Ausrüstung und ihres gesamten Wesens als eine gemeinsame deutsche Polizei entwickelt wird.

Was sind Agenten?

Es unterstützt ihn gleichzeitig W. Ulbricht:

Es kann der Beste nicht in Frieden leben, wenn es dem bösen Nachbarn nicht gefällt! Und wenn die amerikanischen, englischen, französischen und anderen Spionagezentralen ihre Banditen in das Gebiet der DDR schikken, um dort Sabotageakte durchzuführen, und dann die Frage stellen: Was verstehen wir unter ›Agenten‹?, so sage ich, unter Agenten verstehen wir die Beauftragten dieser westlichen, imperialistischen Spionagezentralen, die bei uns Sabotageakte durchführen sollen, um das

Aufbauwerk des 5-Jahrplans zu stören. Das sind also Leute, die organisierte Verbrechen begehen. Und wir haben ihnen schon einmal gesagt: Wir werden diese Agenten, wenn sie auf dem Boden der DDR ihr Werk durchführen, unbarmherzig vernichten! Wir haben den westlichen Alliierten und der Bonner Regierung ein sehr einfaches Angebot gemacht. Wir haben gesagt: Meine Herren, schicken Sie keine Agenten, dann werden wir auch keinen einsperren!

Der aktive Widerstand der »Friedenskämpfer«

Wenn hier von einem Pressevertreter die Frage gestellt wurde: Wie stellen Sie sich den aktiven Widerstand vor? so sage ich: Meine Herren, das haben wir doch in der Presse geschrieben! Wie der Widerstand geführt wird, ist Sache der Friedenskämpfer in Westdeutschland. Das ist eigentlich nicht das Thema, das auf diese Pressekonferenz gehört. Die westdeutschen Friedenskämpfer wissen es ausgezeichnet!

Sie fragen: Mit wem wollen wir in Westdeutschland die Verhandlungen führen, um zu einer gemeinsamen Stellungnahme des deutschen Volkes zur Frage des Friedensvertrages zu gelangen? Ich glaube, es bestehen keine Mißverständnisse darüber, daß man mit den faschistischen Militärs und der Adenauer-Clique keine Verhandlungen über einen Friedensvertrag führen kann, nachdem Adenauer sich offen als Vertreter des deutschen Imperialismus bekannt hat. Das heißt, der Kampf um den Friedensvertrag bedeutet den Kampf gegen die Remilitarisierung. Der Kampf gegen die Schaffung militärischer Formationen in Westdeutschland bedeutet Kampf gegen die Adenauer-Clique, bedeutet, daß friedliebende Bürger in Westdeutschland die Führung der politischen Geschicke im Westen unserer Heimat in ihre Hände nehmen! Das ist sehr wohl möglich. Es wäre nicht das erste Mal, daß sich deutsche Bürger finden, die das nationale Interesse höher stellen als irgendwelche Sonderinteressen. Ich erinnere an die Unterzeichnung des Rapallo-Vertrages. Die damalige Regierung war eine Regierung Wirth, die Regierung eines christlichen Zentrumskanzlers. Es war keine kommunistische Regierung und keine Adenauer-Regierung.

Wenn Sie noch mehr über den Widerstand wissen wollen, so verhehle ich Ihnen nicht, daß uns bekannt ist, daß sich die Jugend in Westdeutschland darauf vorbereitet, den Militärdienst in der westdeutschen Wehrmacht zu verweigern! Kein Deutscher wird etwas dagegen haben, wenn Adenauer, Schumacher, Blücher und die Rüstungsmillionäre zu den Rekrutierungsstellen gehen und in der amerikanischen Armee Dienst leisten. Die deutschen Jugendlichen aber werden sie nicht dafür bekommen. Sie wollen nicht das Kanonenfutter für die amerikanischen Kriegsinteressen, für die Rüstungsmillionäre der USA werden.

SPD und KPD gemeinsam

Am 1. September wendet sich das ZK der SED direkt an alle Mitglieder der SPD und der KPD:

Aus dieser gefahrvollen Situation erwächst der deutschen Arbeiterklasse, ihren Parteien und Organisationen eine riesige Verantwortung, die in der Schaffung der Aktionseinheit als dem dringendsten Gebot der Stunde ihren Ausdruck finden muß. Im Bewußtsein dieser Verantwortung wenden wir, die Vertreter der geeinten Arbeiterpartei der DDR uns an Euch, Genossinnen und Genossen der SPD und KPD... Für den gemeinsamen Kampf der Sozialdemokraten, Kommunisten und Gewerkschafter sehen wir folgende Aufgaben:
1. Die geplante Wiedereinführung der Wehrpflicht soll unter Bruch des Bonner Grundgesetzes geschehen. Darum ist es die vordringliche Aufgabe aller friedliebenden Deutschen, den Kampf um die allgemeine Volksbefragung über die Remilitarisierung mit verstärkter Kraft fortzuführen.
2. Der Dienst in allen getarnten und offenen militärischen Formationen ist zu verweigern.
3. Die Konzernherren von Kohle, Stahl, Eisen und Chemie müssen enteignet, und ihre Gruben, Hütten und Werke in die Hände des Volkes gegeben werden.
4. Verweigerung jeder Rüstungsproduktion und jedes Transports von Kriegsmaterial.

5. Kampf gegen die Lasten der Remilitarisierung und Kriegsvorbereitung, für höhere Löhne und bessere Arbeitsbedingungen unter Führung frei gewählter Streikleitungen.
6. Gemeinsame Verteidigung aller demokratischen Rechte und Freiheiten. Abwehr aller terroristischen Anschläge des faschistischen Innenministers Dr. Lehr und seiner Helfershelfer gegen die Organisationen der Arbeiter und Friedenskämpfer.
7. Gemeinsamer Schutz und solidarische Hilfe für alle Arbeiter und Friedenskämpfer, die von den Terrormaßnahmen der Bundesregierung und ihrer ausführenden Organe betroffen werden.
8. Kampf für die sofortige Entlassung und Bestrafung aller landesverräterischen Generale und Offiziere, die die deutsche Jugend an fremde Heerführer ausliefern und für fremde Interessen sterben lassen wollen.
9. Auflösung und Verbot aller reaktionären militaristischen Verbände und Bünde, die den Geist des Krieges und der Revanche züchten und die friedliebende Bevölkerung terrorisieren.

Adenauer antwortet Grotewohl

Am 18. September antwortet Adenauer Grotewohl in einer Rundfunkrede:

Nun kommt jetzt nach den Erklärungen der 3 Außenminister in Washington auf einmal Herr Grotewohl, und er hat sich in seinem Aufruf an den deutschen Bundestag gewandt. Er sagt, er wolle die Durchführung gesamtdeutscher Wahlen zu einer Nationalversammlung zur Schaffung eines einheitlichen demokratischen friedlichen Deutschlands. In einer langen Rede, die er vor der Volkskammer der Ostzone gehalten hat, verlangt er, ganz wie früher, den Abzug aller Besatzungstruppen und preist die Macht und die Friedensliebe Sowjetrußlands in den stärksten Tönen.
Herr Grotewohl hat schon früher, und zwar wiederholt, dasselbe Sprüchlein gesagt. Die Bundesregierung und der Bundestag haben sich zu der gleichen Frage wiederholt, und zwar sehr präzise, sehr genau, sehr entschieden

geäußert, und zwar am 22. März 1950, am 14. September 1950, am 15. Januar 1951 und am 9. März 1951. Am 26. Mai 1950 und am 9. Oktober 1950 haben die 3 Hohen Kommissare der Westmächte auf Antrag der Bundesregierung Schreiben an den Vorsitzenden der sowjetischen Kontrollkommission gerichtet, in denen sie die Forderungen der Bundesrepublik Deutschland unterstützen.

Auf die Erklärungen der Bundesregierung ist die Sowjetzonenregierung niemals eingegangen. Die sowjetische Kontrollkommission hat nicht geantwortet. Wir stehen zu den bisherigen Erklärungen der Bundesregierung und des Bundesrates und wir bleiben bei diesen. Der jetzige Aufruf des Herrn Grotewohl ist das Parallelstück zu der Note der sowjetrussischen Regierung an die französische Regierung vor der Konferenz von San Francisco. In dieser Note hat die sowjetrussische Regierung alles versucht, um Frankreich von der Unterzeichnung des Friedensvertrages mit Japan abzuhalten. In seinem heutigen Aufruf macht die SED oder vielmehr ihr Führer, Herr Grotewohl, im Auftrage Sowjetrußlands den Versuch, die Integration Europas zu verhindern. Der Versuch wird erfolglos bleiben. Die ganze Sachlage ist so klar, sie ist zu klar, als daß irgend jemand auf diese Note hereinfallen könnte.

Die Weltjugendfestspiele in Ostberlin

Im Hochsommer finden unter großer internationaler Beteiligung in Ostberlin sogenannte Weltjugendfestspiele statt. Höhepunkt ist der Friedensmarsch am 12. August, an dem 1 Mill. Jugendliche teilnehmen. Im Westen registriert man mit Befriedigung, daß trotz der Absperrmaßnahmen der Volkspolizei 250000 Mitglieder der FDJ (Freie Deutsche Jugend) Westberlin besuchen.

Washington gibt dazu eine Stellungnahme heraus, in der es heißt:

Die Ehrentribüne während der Weltjugendfestspiele. 4. v. l.: Ulbricht, Pieck, Grotewohl, Honecker.

Obgleich die kulturellen Aspekte der Festspiele nachdrücklich hervorgehoben wurden, ist der Zweck des gigantischen Treffens eindeutig politischer Natur. Der Massenfriedensmarsch vom Sonntag sollte den Eindruck vermitteln, daß der Kommunismus den Frieden symbolisiere und daß die vereinigte Kraft und der Idealismus der Weltjugend hinter ihm stehe. Die Veranstalter der Festspiele, die Freie Deutsche Jugend und ihre Jungpioniere, stellen die einzige Jugendorganisation dar, welche in Ostdeutschland zugelassen ist. Der von den Regisseuren der Festspiele hervorgerufene Eindruck, diese Veranstaltung finde in ganz Berlin statt, ist falsch. Nicht nur beschränken sich die Festspiele auf den Sowjetsektor, sondern die Sowjetbehörden haben auch die Grenzpatrouillen weitgehend verstärkt, um die Besucher davon abzuhalten, in das freie Westberlin hinüberzuströmen. Vollkommen falsch ist die Behauptung der Ostzonenpropaganda, die ausländischen Delegationen repräsentierten die Weltjugend. Von den Delegationen aus kommunistisch beherrschten Ländern abgesehen, vertreten die ausländischen Besucher nur verhältnismäßig kleine kommunistische Organisationen in den freien Ländern. Die Knaben und Mädchen, welche der Freien Deutschen Jugend angehören, verfügen sozusagen über alles, was auf die Jugend wirkt, ausgenommen über die Freiheit, selber Entscheidungen zu treffen und aus ihren eigenen Fehlern zu lernen. Ihr Leben ist so geschäftig und erregend, daß es zweifelhaft erscheint, ob sich die große Mehrheit überhaupt bewußt ist, daß ihr diese besondere Art von Freiheit fehlt.

»Wir Frauen und Mütter...«

Vom offiziellen Stil, der zu dieser Zeit im kommunistischen Bereich unter Stalin herrscht, mögen 2 Kostproben zeugen. Der DFD (Demokratischer Frauenbund Deutschlands) veröffentlicht folgende Bot-

Wir Frauen und Mütter des DFD aus allen Teilen unseres Vaterlandes grüßen Euch, Ihr Heldinnen aus China und Korea, Ihr Friedenskämpferinnen aus Italien, Frankreich und Dänemark, Ihr Friedenskämpferinnen aus Griechenland und Spanien, dem unterdrückten Afrika, aus Iran und von Indien. Wir grüßen Euch, die Ihr aus allen Ländern zu uns gekommen seid, und wir grüßen ganz besonders die sowjetischen Mädchen, die uns allen ein leuchtendes Vorbild sind. Ihr alle tragt die Flamme der Begeisterung von dieser gewaltigen Friedensmanifestation der 3. Weltfestspiele der Jugend und Studenten in Eure Länder. Hütet das Licht des Friedens und kämpft noch entschlossener gegen die dunklen Mächte der Vernichtung, die einen neuen Weltkrieg vorbereiten. Wir deutschen Frauen und Mütter stehen gemeinsam mit unserer stolzen FDJ Seite an Seite mit allen Friedenskämpfern der Welt auf Friedenswacht, um den Frieden bis zum Äußersten zu verteidigen. Im Namen aller deutschen Frauen und Mütter versprechen wir Euch feierlich, den Kampf gegen die Remilitarisierung Westdeutschlands noch stärker fortzusetzen und alles zu tun, damit ein einiges, unabhängiges, demokratisches Deutschland entsteht, das in Frieden und Freundschaft mit allen Völkern lebt.

»Teurer Stalin!«

Über 4 Mill. deutsche Jugendliche richten die folgenden Grüße an Stalin:

Teurer Josef Wissarionowitsch Stalin! Millionen junge Deutsche, von denen sich über 1 Million vor den Augen der friedliebenden Jugend der Welt zum Treffen der jungen Friedenskämpfer Deutschlands gegen die Remilitarisierung und für den Abschluß eines Friedensvertrages mit Deutschland im Jahre 1951 in Berlin versammelt haben, entbieten Ihnen, dem großen Führer des weltumspannenden Friedenslagers, heiße Grüße. Anläßlich des 1. Jahrestages des Eintreffens Ihres wegweisenden Telegramms, in dem Sie der deutschen Jugend die große Aufgabe stellten, aktive Erbauer des einheitlichen, demokratischen und friedliebenden Deutschland zu sein, hat die FDJ in Vorbereitung der 3. Weltfestspiele der Jugend und Studenten für den Frieden ein Aufgebot zu Ehren des großen Stalin begonnen. Im Verlauf dieses Aufgebots haben Millionen junge Deutsche durch erhöhte Anstrengungen im Kampf um den Frieden ihre tiefe Liebe zu Ihnen, teurer Josef Wissarionowitsch Stalin, und damit zur großen sozialistischen Sowjetunion zum Ausdruck gebracht. Wir können Ihnen heute berichten, daß im Rahmen des Aufgebots, das Ihren Namen trägt, 390583 Jungen und Mädchen der FDJ und den Organisationen der jungen Pioniere beigetreten sind, so daß die Freie Deutsche Jugend und die jungen Pioniere heute in ihren Reihen 3591884 Jungen und Mädchen vereinigen. 1056998 Jugendliche haben im Rahmen des Aufgebots Ihr bedeutendes Werk ›Über die Grundlagen des Leninismus‹ studiert und sich dadurch entscheidende Kenntnisse für ihren Kampf um den Frieden und die Errichtung eines einheitlichen, demokratischen Deutschland erarbeitet. In 121882 Agitationsgruppen und 862514 Einsätzen…

Aus dem Innenleben der SED

Vor dem ZK der SED hält Hermann Matern im Spätherbst ein Referat über die Ergebnisse der Überprüfung der Parteimitglieder, in der es u. a. heißt:

Es war das erstemal, daß jedes Mitglied der Partei individuell über die Fragen seines Verhältnisses zur Partei und über die Politik der Partei befragt wurde. Bei den Überprüfungen wurden in der Regel die Mitglieder auch befragt über ihre Stellung zur Sowjetunion, zur Kommunistischen Partei der Sowjetunion (Bolschewiki). Es gibt auch noch antisowjetische Stimmungen in der Partei, die vereinzelt in allen Kreisen der Parteiorganisation in Erscheinung treten. Hier und da gibt es auch noch Unterschätzungen der großen führenden Bedeutung der sowjetischen Wissenschaft.

Die »Friedensgrenze«

Die Oder-Neiße-Friedensgrenze und die deutsch-polnische Freundschaft war ebenfalls eine der Hauptfragen, die von den Kommissionen mit den Mitgliedern diskutiert wurde. Die Richtigkeit und Notwendigkeit der Oder-Neiße-Friedensgrenze wurde nur in seltenen Fällen mit Ausflüchten umgangen. Die Mitglieder verstehen, daß die Hetze gegen die Oder-Neiße-Friedensgrenze von den Imperialisten zur Vorbereitung ihres Krieges benutzt wird. Die Argumentation in der Frage der Oder-Neiße-Friedensgrenze ist aber in vielen Fällen noch schwach. Die Antworten der Parteimitglieder zeigen, daß die Anerkennung manchmal nur formal ist. Das drückt sich aus in solchen Argumenten, daß die Grenze zwischen friedliebenden Völkern keine Rolle spielt.
Bei den Diskussionen dieser Frage zeigt sich auch, daß die Unkenntnis über den sozialistischen Aufbau Volkspolens wie der anderen Volksdemokratien verhältnismäßig groß ist. In dieser Beziehung muß von der Partei eine viel intensivere Aufklärungsarbeit geleistet werden.
Von wenigen Ausnahmen abgesehen, ist die Parteimitgliedschaft von der Notwendigkeit des Kampfes um den Frieden überzeugt. Sie versteht in dieser Frage richtig zu argumentieren und die Politik der Partei zu vertreten. Unklarheiten traten in der Frage der gerechten und ungerechten Kriege auf. Häufig begnügten sich die Genossen mit der Antwort: ›Gerechte Kriege sind Verteidigungskriege, ungerechte Kriege sind Angriffskriege.‹ Die Stalinsche Definition über den 2. Weltkrieg ist in der

Partei viel zu wenig bekannt. Auch im Zusammenhang mit dem Freiheitskampf des koreanischen Volkes traten die gleichen Unklarheiten auf. Zu einem Teil, warum chinesische Freiwillige in Korea kämpfen, zum anderen, warum die Sowjetunion in Korea nicht eingreift. Hier kommen die Unklarheiten über den Charakter und die Friedenspolitik der Sowjetunion zum Ausdruck.

Pazifistische Tendenzen

Ebenso gibt es pazifistische Tendenzen, die auch Freiheitskriege ablehnen. In einzelnen Fällen traten auch falsche Auffassungen auf in der Frage des Kampfes um die Einheit Deutschlands und die Rolle der Deutschen Demokratischen Republik in diesem Kampf. Das drückt sich in solchen Auffassungen aus, daß die Nationale Front des demokratischen Deutschlands die Einheit Deutschlands nicht erkämpfen kann, weil diese allein vom amerikanischen Imperialismus abhängen würde. Die Unterschätzung der eigenen Kräfte, das heißt der Zweifel an der Stärke des Friedenslagers, ist noch nicht völlig überwunden. Das drückt sich so aus, daß ein Genosse erklärte: ›Kriege werden von einer Handvoll Menschen gemacht, und diese Handvoll kann auch den Frieden machen, das Volk ist nur Mitläufer.‹

Weitere Unklarheiten bestehen um die konkreten Formen unseres Kampfes für die Einheit Deutschlands. Manche Genossen brachten zum Ausdruck, daß nur der Krieg die Einheit herstellen könnte. Sie verstehen nicht die gewaltige Bedeutung des Friedenskampfes und die große Kraft des Friedenslagers. In der Politik der Nationalen Front des demokratischen Deutschland gibt es immer noch sektiererische Auffassungen.

Die Nationale Front des demokratischen Deutschland wird vielfach immer noch als notwendiges Übel oder taktisches Manöver betrachtet, um möglichst viele Menschen ›einzufangen‹. Diesen Genossen fehlt ein echtes Nationalbewußtsein und nationales Verantwortungsgefühl. Noch nicht alle Genossen haben den engen Zusammenhang zwischen dem Kampf um den Frieden und um die nationale Einheit Deutschlands verstanden. Die falschen Auffassungen über unsere Politik werden besonders von älteren Genossen vertreten.

Realistische Kunst

In der DDR wird im August eine Staatliche Kommission für Kunstangelegenheiten eingesetzt, der der sächsische Volksbildungsminister Helmut Holtzhauer vorsitzt. Aus Anlaß ihrer Gründung hält Ministerpräsident Otto Grotewohl eine programmatische Rede:

Die wesentlichste Erkenntnis scheint mir die zu sein, daß es sich bei den künstlerischen Auseinandersetzungen um den Kampf zweier grundlegender Richtungen, zweier unversöhnlicher Richtungen handelt, nämlich um die schöpferische und um die unschöpferische Richtung in der Kunst. Niemand kann heute mehr zu bestreiten wagen, daß sich die Kunst in den imperialistischen und den von ihnen abhängigen Ländern in einer lebensgefährlichen Krise befindet. Der Formalismus ist die unschöpferische Richtung dieser Kunst. Er hat keine Zukunft, er ist ebensosehr zum Untergang verurteilt wie die kapitalistische Gesellschaft, die ihn geboren hat. Dagegen hat unsere Diskussion mit unwiderlegbarer Folgerichtigkeit bereits heute den Nachweis erbracht, daß nur eine solche künstlerische Methode schöpferisch ist, die ihre entscheidenden Impulse aus dem wirklichen Leben des Volkes zieht.

Die Krise der Kunst

Das Wesen der Krise der Kunst in der imperialistischen Welt besteht: 1. In der Abkehr vom Realismus, das heißt in der Verleugnung der Wahrheit. 2. In der Lösung von den Ideen des Volkes, das heißt in der Unterordnung unter das lebensfeindliche Diktat des Monopolkapitals. 3. In der Preisgabe der nationalen Traditionen, das heißt in der Unterwerfung unter die volksfeindliche Ideologie des Kosmopolitismus. 4. In dem Fehlen einer vorwärtsweisenden Perspektive, das heißt in der Orientierung auf die dem Untergang geweihten Kräfte der Reaktion. Die Überwindung kann nur erfolgen durch eine energische Hinwendung zur realistischen Richtung; durch die restlose Durchdringung der künstlerischen Konzeptionen mit den Ideen des Volkes, das überall auf der Welt mit täglich wachsendem Schwung sich dem Kampf für Frieden, Demokratie und Sozialismus zuwendet; in der Anknüpfung an die großen nationalen Traditionen unseres Volkes und ihrer Fortführung auf höherer Ebene; und schließlich in der Beseelung unserer Kunst mit der großartigen Perspektive, die sich unserem Volke im Bunde mit der großen Sowjetunion, den Volksdemokratien und den Friedenskräften der ganzen Welt eröffnet. Die deutschen Künstler können aus der wahren und echten Lebensgestaltung und aus der volksnahen Formengebung der sowjetischen Kunst sehr viele Anregungen empfangen und neue Wege beschreiten. Es ist klar, daß nur derjenige Künstler andere begeistern und mitreißen kann, der selbst von der Perspektive der Zukunft begeistert ist.

Gestatten Sie mir, in diesem Zusammenhang auf den Ausspruch unseres großen Heinrich Heine hinzuweisen, daß in der Brust des Künstlers eines Volkes schon das Abbild von dessen Zukunft liege. Diesem Bild der Zukunft in seinen unendlich mannigfaltigen Formen, vor allem aber in dem Bild des neuen, werdenden, kommenden Menschen, der unerschrocken gegen den wiedererstandenen deutschen Imperialismus kämpft und die ganze Kraft seiner Persönlichkeit in den Dienst des friedlichen Aufbaus Deutschlands stellt, künstlerische Gestalt zu geben, dies erscheint uns als die würdigste Aufgabe für unsere deutschen Künstler.

Das Interzonenabkommen

5. Juli: Auf dem Höhepunkt des Korea-Krieges und in einer Phase der entschiedenen Abgrenzung der beiden deutschen Staaten wird das Interzonenabkommen mit der DDR geschlossen.

Zur Realisierung dieses Abkommens äußert sich der Ministerpräsident der DDR, Otto Grotewohl, aus Anlaß der Eröffnung der Leipziger Herbstmesse:

Wie aber steht es mit dem innerdeutschen Handel? Er wird durch Eingriffe der amerikanischen Besatzungsbehörden systematisch gestört. Die Amerikaner vereiteln seit Monaten immer wieder jede zwischen den deutschen Handelspartnern getroffene Vereinbarung. Seit dem 7. September 1950 laufen nun Verhandlungen mit unseren westdeutschen Landsleuten über einen neuen Vertrag, für den wir 1 Mrd. DM Umsatz von jeder Seite vorgeschlagen haben. Die Verhandlungen können nicht zum Abschluß gebracht werden, weil die von den amerikanischen Kolonialherren angeordnete Sabotage immer neue Ablehnungsgründe erfindet und Schwierigkeiten, insbesondere in der Viersektorenstadt Berlin, organisiert. Einmal ist es die Stromversorgung, ein anderes Mal sind es die Warenbegleitpapiere...
Aber auf eines muß ich im Ernst hinweisen: Wir werden uns von den Willkürmaßnahmen der amerikanischen Imperialisten sehr schnell unabhängig machen, indem die Industrie der DDR wichtige Erzeugnisse, die wir jetzt aus Westdeutschland oder den kapitalistischen Ländern beziehen, aus eigener Produktion fertigen oder aus den Ländern des Friedenslagers beschaffen wird. Das bedeutet keinen Verzicht auf den innerdeutschen Handel. Im Gegenteil. Die Regierung der DDR ist jederzeit gewillt, das im Abkommen vorgesehene Warenvolumen zu erhöhen.
Aber in Abhängigkeit vom Petersberg brauchen und werden wir uns nicht bringen lassen.

Die Straßennutzungsabgabe

1. September: Die DDR führt für alle Kraftfahrzeuge der Bundesrepublik und Westberlins, die sich auf ihren Straßen bewegen, eine Straßennutzungsabgabe ein, die sich zwischen 8 DM für Motorräder und 50 DM für schwere LKW bewegt. Dazu sagt Albert Norden vom Informationsamt der DDR anläßlich der Eröffnung der Leipziger Herbstmesse:

Es handelt sich dabei nicht um eine Steuer gegen einen anderen Teil Deutschlands, nicht um eine Steuer gegen westdeutsche Kraftfahrzeuge, denn in der DDR werden von jedem deutschen Kraftfahrzeug bereits Steuern erhoben. Wir sind der Ansicht, daß es nur gerecht ist, wenn diejenigen, die zum Beispiel zu 90% die Straße Helmstedt–Berlin befahren und natürlich auch abnutzen, ebenfalls beitragen, diese Straße wieder in Ordnung zu bringen.

Aus dem Alltag der DDR

Wenn man heute die westdeutschen Zeitungen liest, fällt auf, wie feindlich der Ton gegenüber der »Sowjetzone« ist. Sie und der Kommunismus sind ganz allgemein der Hauptfeind. Das Klima wird besonders durch offizielle Broschüren des Gesamtdeutschen Ministeriums in Bonn geschürt, aus denen die Presse unentwegt zitiert.

Die Fleischknappheit ist so groß, daß es zu Ostern nur Fisch gibt.

Zu Weihnachten werden zum erstenmal Schokoladenartikel hergestellt.

Das Gemeinschaftswerk von Bert Brecht und Paul Dessau *Das Verhör des Lukullus* wird zweimal uraufgeführt. Die erste Fassung ist der SED zu pazifistisch. Die zweite Fassung, die den Titel *Die Verurteilung des Lukullus* trägt, erlaubt wenigstens den Verteidigungskrieg. Brecht bleibt der zweiten Uraufführung fern, angeblich wegen Krankheit.

Lebensgewohnheiten

Wie heilig ist der Schlaf?

EMNID, Bielefeld, stellt fest, daß 56% der Bevölkerung zwischen 4 und 6 Uhr aufstehen, 32% um 7 Uhr herum und nur 12% bis 8 Uhr oder danach.
So auffallend gering die Zahl der Spätaufsteher ist, noch auffallender ist, daß nur die Hälfte der Frühaufsteher vor 22 Uhr ins Bett geht.

Wem gehört das Dach über dem Kopf?

Allensbach hat erfragt:
52% aller Deutschen leben als Mieter, 24% als Untermieter, in Städten über 20000 Einwohner lebt nur jeder 10. im eigenen Haus, auf dem Land hingegen jeder 2.

Ein Leben lang derselbe?

Von 1949 bis 1951 kommen in Deutschland auf 100000 Einwohner 169 Scheidungen. 1939 waren es erst 89.
Der Anteil der schuldig geschiedenen Frauen wächst.
Der Krieg hat eine Differenz verursacht, die Konflikte birgt: Auf 22,4 Mill. Männer kommen in Deutschland 25,2 Mill. Frauen.

Die Freßwelle läuft an

Jahre	Zucker	Fleisch	Fett	Vollmilch	Fisch
49/50	22,9	31,4	16,2	96,2 l	11 kg
50/51	27,4	36,6	20,5	108,3 l	13 kg

Prompt fällt den Einzelhändlern nach Weihnachten auf, daß zum erstenmal Kleider umgetauscht werden, weil die Weiten nicht mehr stimmen.

Faschingsannoncen.

Warum Kinder den Tod suchen Die *Süddeutsche Zeitung* beschäftigt sich in einem langen Artikel mit dem Thema »Kinder, die den Tod als Ausweg suchten. Gleichgültige Eltern tragen oft die Verantwortung. Steigt die Kurve der Selbstmorde von Jugendlichen?«

Die Meldung vom Karneval Zwischen Cuxhaven und Köln rollen ununterbrochen 4 Lastzüge, um die nötigen Mengen Rollmöpse an den Rhein zu bringen.

Der deutsche Adel

Wozu das Deutsche Adelsarchiv gut ist 1947 wurde das Deutsche Adelsarchiv gegründet, das seitdem auch den Gotha betreut, das unentbehrliche Nachschlagewerk für alles, was mit dem Adel zu tun hat. Wie unentbehrlich, das zeigt sich nun, denn das Deutsche Adelsarchiv meldet stolz, es habe mit Hilfe seiner Unterlagen in 4 Jahren 1500 Heiratsschwindler und Hochstapler entlarvt und außerdem 700 weitere Betrüger mit anderen Spezialitäten.

Gottfried v. Cramm 9. November: Die amerikanische Millionärin Barbara Hutton, bereits 4mal geschieden, besucht den deutschen Tennisstar Gottfried v. Cramm auf dessen Gut, um ihren 39. Geburtstag zu feiern, ein willkommener Anlaß für viele Gerüchte um eine bevorstehende Heirat. Geld und Adel: Das macht sich immer gut.

Etwas Statistik 1871–1951

Bevölkerungsentwicklung 1871–1951

in Millionen; Reichsgebiet nach jeweiligen Gebietsstand, Bundesgebiet aufgrund der damaligen, auf den Gebietsstand von 1951 umgerechneten Volkszählungen.

Jahr	Reichsgebiet	Bundesgebiet
1871	41,0	19,6
1880	45,1	21,7
1890	49,2	23,9
1900	56,0	27,6
1913	67,0	34,0
1925	63,2	35,6
1939	69,3	39,3
1946		43,9
1951		48,5

Deutschlands Bevölkerung vor und nach dem Krieg:

	1938	1951
Bevölkerung	38,9 Mill.	48,1 Mill.
männlich	?	22,6 Mill.
Heimatvertriebene	–	8 Mill.
Zugewanderte	–	1,7 Mill.
Eheschließungen	368	494 pro 100000
Ehescheidungen	?	283 pro 100000
Verstorbene	443	508 pro 100000
Geburtenüberschuß	326	251 pro 100000
Zuwanderung	?	208 pro 100000
Arbeitnehmer	12,2 Mill.	15,5 Mill.
Arbeitslose	166000	1,6 Mill.

Ehe-schließungen, Geborene und Gestorbene 1871–1951

Jahr	Auf 1000 Einwohner kamen Ehe-schließungen	Geborene ohne Totgeborene	Gestorbene ohne Totgeborene	mehr Geborene als Gestorbene	Von 100 Lebend- und Totgeborenen waren Un-eheliche	Tot-geborene
1871	8,2	34,5	29,6	4,9	9,8	4,0
1881	7,5	37,0	25,5	11,6	9,1	3,8
1891	8,0	37,0	23,4	13,6	9,1	3,3
1901	8,2	35,7	20,7	15,1	8,6	3,1
1911	7,8	28,6	17,3	11,3	9,2	2,9
1921	11,9	25,3	13,9	11,4	10,7	3,2
1931	8,0	16,0	11,2	4,8	11,8	3,0
1941	7,2	18,6	12,0	6,6	–	2,2
1951	10,3	15,8	10,5	5,3	9,6	2,2

Alter in Jahren	Absterbeordnung 1871/80	1901/10	1932/34	1949/51	Lebenserwartung in Jahren 1871/80	1901/10	1932/34	1949/51
	Männliches Geschlecht							
0	100 000	100 000	100 000	100 000	35,58	44,82	59,86	64,56
1	74 727	79 766	91 465	93 823	46,52	55,12	64,43	67,79
2	69 876	76 585	90 618	93 433	48,72	56,39	64,03	67,08
5	64 871	74 211	89 654	92 880	49,39	55,15	61,70	64,47
10	62 089	72 827	88 793	92 444	46,51	51,16	57,28	59,76
15	60 892	72 007	88 244	92 097	42,38	46,71	52,62	54,98
20	59 287	70 647	87 298	91 466	38,45	42,56	48,16	50,34
25	56 892	68 881	86 032	90 531	34,96	38,59	43,83	45,83
30	54 454	67 092	84 715	89 518	31,41	34,55	39,47	41,32
35	51 815	65 104	83 234	88 428	27,88	30,53	35,13	36,80
40	48 775	62 598	81 481	87 102	24,46	26,64	30,83	32,32
45	45 272	59 405	79 285	85 342	21,16	22,94	26,61	27,93
50	41 228	55 340	76 322	82 648	17,98	19,43	22,54	23,75
55	36 544	50 186	72 147	78 562	14,96	16,16	18,69	19,85
60	31 124	43 807	66 293	72 852	12,11	13,14	15,11	16,20
65	24 802	36 079	58 106	64 999	9,55	10,40	11,87	12,84
70	17 750	27 136	47 059	54 394	7,34	7,99	9,05	9,84
75	10 743	17 586	33 479	40 700	5,51	5,97	6,68	7,28
80	5 035	8 987	19 122	25 106	4,10	4,38	4,84	5,24

	Weibliches Geschlecht							
0	100 000	100 000	100 000	100 000	38,45	48,33	62,81	68,48
1	78 260	82 952	93 161	95 091	48,06	57,20	66,41	71,01
2	73 280	79 761	92 394	94 749	50,30	58,47	65,96	70,26
5	68 126	77 334	91 535	94 270	51,01	57,27	63,56	67,61
10	65 237	75 845	90 753	93 937	48,18	53,35	59,09	62,84
15	63 878	74 887	90 270	93 701	44,15	49,00	54,39	57,99
20	62 324	73 564	89 490	93 295	40,19	44,84	49,84	53,23
25	60 174	71 849	88 390	92 711	36,53	40,84	45,43	48,55
30	57 566	69 848	87 139	92 039	33,07	36,94	41,05	43,89
35	54 685	67 679	85 754	91 221	29,68	33,04	36,67	39,20
40	51 576	65 283	84 135	90 225	26,32	29,16	32,33	34,66
45	48 481	62 717	82 211	88 901	22,84	25,25	28,02	30,14
50	45 245	59 812	79 620	86 991	19,29	21,35	23,85	25,75
55	41 308	55 984	76 038	84 225	15,88	17,64	19,85	21,50
60	36 293	50 780	70 984	80 166	12,71	14,17	16,07	17,46
65	29 703	43 540	63 712	73 875	9,96	11,09	12,60	13,72
70	21 901	34 078	53 184	63 994	7,60	8,45	9,58	10,42
75	13 677	23 006	39 132	49 605	5,66	6,30	7,09	7,68
80	6 570	12 348	23 500	31 787	4,22	4,65	5,15	5,56

Säuglingssterblichkeit 1881–1951 nach Altersmonaten

Von den 100 000 den nebenstehenden Altersmonat beginnenden Kinder starben innerhalb dieses Monats

Knaben

Altersmonat	1881/1890	1924/1926	1939	1951
1. Monat	7938	4969	3498	3780
2. Monat	3143	1242	658	462
3. Monat	2714	1105	609	427
4. Monat	2386	915	482	343
5. Monat	1988	739	377	259
6. Monat	1692	615	330	189
7. Monat	1540	543	278	139
8. Monat	1342	494	233	121
9. Monat	1232	446	211	100
10. Monat	1181	395	180	83
11. Monat	1030	338	149	68
12. Monat	951	301	148	57

Mädchen

	1881/1890	1924/1926	1939	1951
1. Monat	6268	3940	2690	3011
2. Monat	2649	964	502	325
3. Monat	2275	873	437	339
4. Monat	2016	716	353	262
5. Monat	1670	590	287	187
6. Monat	1430	502	241	138
7. Monat	1317	445	213	119
8. Monat	1175	411	192	99
9. Monat	1102	390	165	92
10. Monat	1079	343	144	67
11. Monat	954	312	125	55
12. Monat	896	279	110	48

Internationale Politik

– das sollten Sie unbedingt wissen

Die USA bzw. die NATO erwerben Stützpunkte auf Grönland, der Bäreninsel, Spitzbergen, Island und den Azoren.

Ägypten kündigt Großbritannien die Verträge über die gemeinsame Verwaltung des Suez-Kanals und des Sudan. Großbritannien verspricht daraufhin dem Sudan die Selbstverwaltung.

Libyen wird unabhängiges Königreich.

Portugal verwandelt seine Kolonien in autonome überseeische Provinzen.

Die Bantu-Regionen in Südafrika erhalten die ersten Selbstverwaltungsbefugnisse.

Der amerikanische Präsident Truman entläßt den Oberbefehlshaber der UN-Truppen im Korea-Krieg, General MacArthur, wegen Überschreitung der Befugnisse. In Korea werden Waffenstillstandsabkommen getroffen.

Rotchina gliedert Tibet in sein Reich ein.

Die westlichen Alliierten schließen mit Japan einen Friedensvertrag.

Bundeskanzler Leopold Figl Anfang März zur Situation des Landes auf dem Bundesparteitag der ÖVP in Salzburg:

Wir wollen nichts anderes als unsere staatliche Freiheit und Unabhängigkeit und die Einrichtung unseres Landes nach eigenen wirtschaftlichen und politischen Prinzipien. Wenn diese Prinzipien eher den westlichen Lebensformen gleichen, so ist das die Folge der historischen Entwicklung und der Tradition Österreichs als mitbestimmender Faktor an dem Werden der abendländischen Kultur und Zivilisation. Wer die Freiheit auf allen Gebieten des menschlichen Wirkens und Schaffens, von der Wirtschaft angefangen bis in die Bereiche der Wissenschaft, der Kunst und der Religion antasten will, wer den Versuch unternimmt, das österreichische Volk der Willkür und der Gewalt eines seinem Denken fremden Systems zu unterwerfen, der wird auf heftigsten Widerstand stoßen, was ein selbstverständlicher Akt der Notwehr ist. Wir sind nicht gegen den legalen Import von Waren und Gütern, sei es vom Westen oder Osten in unser Land, jedoch wehren wir uns gegen den Import politischer Ideologien, für die wir absolut keine Verwendung haben. Wer damit rechnen sollte, daß wir schließlich unter dem andauernden Druck zu Kreuze kriechen werden, daß man uns mürbe machen kann, dem soll vom Forum des Parteitages die Versicherung gegeben werden, daß nur rohe, nackte Gewalt imstande sein könnte, unser völlig entwaffnetes Volk zu bezwingen.

Der Kampf um den Staatsvertrag

Selbstverständlich wollen wir den Staatsvertrag. Alles wurde getan, was von uns als Voraussetzung für den Staatsvertrag verlangt wurde, aber eines wollen wir nicht: einen Vertrag, der uns an Stelle von Freiheit und Unabhängigkeit eine politische Diktatur bringen wird. Wir wollen uns um die Praktiken jenseits unserer Grenzen solange nicht kümmern, so lange man nicht versucht, uns damit zu beglücken. Jedes Volk soll nach seiner Art

Bundeskanzler Leopold Figl, ÖVP, begrüßt den Bundesminister für gesamtdeutsche Fragen Jakob Kaiser (links).

leben können. Das ist unser Grundsatz, der einzige, der aggressive Absichten ausschließt und den Frieden der Welt verbürgt. Wir wollen nichts tun, was die Spannungen um uns vermehren könnte. Wir wollen unser Leben nicht auf dem Prinzip eines Gegeneinander der Staaten und der Nationen aufbauen, sondern auf dem Grundsatz des Miteinander. Würden alle 4 Besatzungsmächte nach diesem Grundsatz handeln, dann könnte der Staatsvertrag bei seinem gegenwärtigen Stande in wenigen Stunden fertiggestellt werden, und es wäre damit eine Friedenshandlung gesetzt, die alles aufwiegen würde, was in der letzten Zeit an Friedensaktionen aufgeboten wurde.

27. Mai: Theodor Körner von der SPÖ wird im Amt des Bundespräsidenten Nachfolger von Karl Renner.

21. Juni: Unter dem Bundeskanzler Leopold Figl von der ÖVP wird eine neue Koalitionsregierung gebildet.

Sommerferien: Täglich überschreiten 500 Deutsche bei Salzburg die Grenze, um in Österreich ihre Ferien zu verbringen. Der Anteil der deutschen Urlauber beträgt in diesem Jahr 12%, 1938, vor dem »Anschluß«, waren es noch 25%.

August: Österreich befindet sich in einer ernsthaften Wirtschaftskrise. Die Regierung beschließt daher, den Verkauf und Verzehr von Fleisch an Dienstagen und Freitagen zu unterbinden.

In diesem Jahr sind 100 Schillinge knapp DM 20,- wert. Die Preise werden erhöht: Milch von 1,40 auf 2,04, Brot von 2,40 auf 3,60, Tafelbutter von 20,- auf 35,20, Briefporto von 0,60 auf 1,50, Ortsgespräche von 0,30 auf 1,-.

Hjalmar Schacht, Hitlers Finanzminister, erklärt auf einem Empfang, Österreich sei allein nicht lebensfähig, es brauche immer eine helfende Hand, zur Zeit seien es die USA.

Ein Dr. Otto Habsburg erregt die Gemüter. Er schreibt in den *Salzburger Nachrichten* Leitartikel über die Europa-Idee. Eigentlich heißt er Otto von Habsburg und ist österreichischer Thronprätendent, aber Adelstitel und -prädikate sind in Österreich verboten, ja, der Thronfolger darf das Land nicht einmal betreten.

Bevölkerungsentwicklung 1880–1951

(in 1000 Personen)

Bundesland	1880	1890	1900	1910	1923	1934	1951
Burgenland	270	282	292	292	286	299	276
Kärnten	325	337	344	371	371	405	475
Niederösterr.	1152	1213	1311	1425	1427	1447	1401
Oberösterreich	760	787	811	854	877	903	1109
Salzburg	164	174	193	215	223	246	327
Steiermark	777	828	889	958	979	1015	1109
Tirol	245	250	266	305	314	349	427
Voralberg	107	116	129	145	140	155	194
Wien	1163	1430	1769	2083	1918	1936	1616
Österreich	4963	5417	6004	6648	6535	6755	6934

Altersgliederung der Bevölkerung 1900–1951

Altersgruppe in Jahren	Anteil an der Gesamtbevölkerung in %		
	1900	1934	1951
unter 15	30	24	23
15 bis unter 65	64	68	67
65 und darüber	6	8	10

Schweiz

Der Schweizer Bundespräsident heißt in diesem Jahr wieder Eduard v. Steiger (er war es schon einmal 1945). Die einzelnen Departements liegen bei.

Politisches und Auswärtiges: Max Petitpierre,

Inneres: Philipp Etter,

Justiz und Polizei: Eduard v. Steiger,
Finanzen und Zoll: Ernst Nobs,
Militär: Karl Kobelt,
Volkswirtschaft: Rodolphe Rubattel,
Post und Eisenbahn: Joseph Escher.

Wahlergebnisse

Es finden Nationalratswahlen statt, die folgendes Ergebnis haben:
Radikal-Demokratische Partei 51 Sitze, 24%,
Konservativ-Christlich-Soziale Volkspartei 48 Sitze, 22,5%,
Sozialdemokratische Partei 49 Sitze, 26%,
Bauern-, Gewerbe- und Bürgerpartei 23 Sitze, 12,6%,
Liberal-Demokratische Partei 5 Sitze, 2,6%,
Landesring der Unabhängigen 10 Sitze, 5,1%,
Partei der Arbeit 5 Sitze, 2,7%,
Demokratische und Evangelische Partei 5 Sitze.

Schauplatz Europa

Skandinavien

5. Dezember: Zwischen den skandinavischen Ländern wird der Nordische Interparlamentarische Rat gegründet. Mit Rücksicht auf die schwedische Neutralität und Finnlands heikle Stellung gegenüber der Sowjetunion beschränkt er seine Arbeit auf wirtschaftliche und soziale Probleme.

Großbritannien April: Der mit großem Polizei-Aufgebot gesuchte Krönungsstein aus der Westminster Abtei in London wird wiedergefunden. Das englische Nationalheiligtum war von Anhängern der nationalschottischen Unabhängigkeitsbewegung entführt worden.

22. April: Der Arbeitsminister der regierenden Labourpartei, Aneurin Bevan, der auch für das Sozialisierungsprogramm zuständig ist, erklärt seinen Rücktritt.

25. Mai: Die britischen Diplomaten Burgess und MacLean fliehen in die Sowjetunion. Es stellt sich heraus, daß sie jahrelang für die Sowjetunion spioniert haben.

3. November: Die Labour-Regierung unter Attlee wird von den Konservativen unter Winston Churchill abgelöst. Außenminister der Regierung Churchill wird Anthony Eden.

Benelux 1. Januar: Die »Vorunion« für Benelux, der Vereinigung Belgiens, der Niederlande und Luxemburgs, tritt in Kraft.

17. Juli: In Belgien muß König Leopold III. abdanken. Man wirft ihm sein Verhalten beim Einmarsch der deutschen Truppen 1940 vor. Ihm folgt Baudouin I.

Frankreich Juni: In Frankreich wird die Nationalversammlung neu gewählt. Es gewinnen die Gaullisten mit 118 Sitzen. De Gaulle selbst hält Distanz zu dieser Partei. Weiterhin: 105 Sitze für die Sozialisten, 99 für die Kommu-

Der neue belgische König Baudouin I.

nisten, 83 für M.R.P., 66 für die Radikalsozialisten usw. Ministerpräsident bleibt, nach einem kurzen Zwischenspiel, René Pleven.

Die Verteidigung Europas

19. Januar: Norwegen überträgt der NATO die Verteidigung Spitzbergens und der Bäreninsel.
5. Mai: Die USA übernehmen den militärischen Schutz Islands.
8. Juni: Die USA erwerben von Dänemark

das Recht, Stützpunkte auf Grönland zu unterhalten.

6. September: Portugal gestattet den USA, die Azoren als Stützpunkt zu benutzen.

Jugoslawien

29. Juli: Mit der Sowjetunion schwelt nach wie vor der Konflikt, da Jugoslawien aus dem Ostblock ausgeschert ist und vom Westen Unterstützung erhält. Einen Eindruck von dieser Auseinandersetzung vermittelt ein Auszug aus einer Rede Titos, in der er zu einem Besuch des sowjetischen Außenministers Molotow in Warschau Stellung nimmt:

Ich will euch erklären, warum er nach Polen ging, nach dem gleichen Polen, gegen das er 1939 zur gleichen Zeit wie Hitler seine Armeen marschieren ließ, nach dem gleichen Polen, gegen das seine Glückwünsche an Ribbentrop wegen der großen Erfolge der faschistischen Horden gerichtet waren, nach jenem Polen, das während des Warschauer Aufstandes kaum irgendwelche Hilfe bekam – kurzum, nach jenem Polen, das heute als Satellit und besetztes Land darniederliegt. Er ging nach Polen, weil die Dinge dort schlecht stehen, um den Polen zu drohen und ihnen zu sagen, was ihnen geschehen wird, wenn sie es wagen sollten, dem jugoslawischen Beispiel zu folgen.

Sowjetunion

Wie der Kalte Krieg in der Stalin-Zeit begründet wird, davon mögen einige Dokumente zeugen. Aus einem Interview mit Stalin im März:

Frage: Halten Sie einen neuen Weltkrieg für unvermeidlich?

Antwort: Nein. Mindestens im gegenwärtigen Zeitpunkt scheint er nicht unvermeidlich zu sein. Natürlich bestehen in den USA, in Großbritannien und in Frankreich aggressive Elemente, die nach einem neuen Krieg dürsten. Sie brauchen den Krieg, um Übergewinne zu machen und um andere Länder ausplündern zu können. Es sind die Millionäre und Milliardäre, die den Krieg als eine Quelle für Einnahmen und Riesenprofite halten. Diese aggressiven Elemente sind es, die die reaktionären Regierungen kontrollieren und ihnen Anweisungen geben. Gleichzeitig fürchten sie aber ihre Völker, die keinen neuen Krieg wünschen und für die Erhaltung des Friedens einstehen. Sie bedienen sich deshalb der reaktionären Regierungen, damit diese die Völker in Lügen verstricken, sie betrügen und ihnen den neuen Krieg als Verteidigung und die friedliche Politik der friedliebenden Länder als aggressiv darstellen. Sie versuchen ihre Völker zu betrügen, um ihnen aggressive Pläne aufzuzwingen und sie in einen neuen Krieg hineinzuziehen.

Stalins Stimme

Gerade aus diesem Grund fürchten sie sich vor dem Feldzug zur Verteidigung des Friedens. Sie haben Angst, die aggressiven Absichten ihrer reaktionären Regierungen könnten an den Pranger gestellt werden. Aus diesem Grund lehnen sie auch den Vorschlag der Sowjetunion auf Abschluß eines Friedenspaktes, die Vorschläge zur Herabsetzung der Rüstungen und auf Verbot der Atomwaffen ab. Sie befürchten nämlich, eine Annahme dieser Vorschläge würde die aggressiven Maßnahmen der reaktionären Regierungen unterhöhlen und den Rüstungswettlauf unnötig machen.

Was wird das Ende dieses Kampfes zwischen den aggressiven und den friedliebenden Geistern sein? Der Friede wird erhalten und gefestigt werden, wenn die Völker die Wahrung des Friedens in ihre eigenen Hände nehmen und die Sache des Friedens bis zum Ende verteidigen werden. Ein Krieg könnte jedoch unvermeidlich werden, wenn es den Kriegshetzern gelingt, die Volksmassen durch Lügen zu verblenden, sie zu betören und zu betrügen und in einen neuen Weltkrieg hineinzuziehen. Aus diesem Grunde ist die großangelegte Kampagne für die Erhaltung des Friedens, als ein Mittel zur Anprangerung der verbrecherischen Machenschaften der Kriegshetzer, jetzt von größter Dringlichkeit. Soweit es die Sowjetunion betrifft, so wird sie auch in Zukunft standhaft eine Politik zur Vermeidung eines Krieges und zur Erhaltung des Friedens verfolgen.

Die Prawda druckt die Wahrheit

1. August: Ein seltenes Ereignis: Der britische Außenminister Herbert Morrison, der Kritik an der sowjetischen Informationspolitik geübt hat, darf in der *Prawda* einen Artikel ungekürzt veröffentlichen. Daraus ein Auszug:

In Großbritannien unterwerfen wir die Meldungen und Ansichten keiner Beschränkung, so daß das Volk selber urteilen kann. Die Meinungen werden dem Volk nicht diktiert. In der Sowjetunion ist das anders. Viele Tatsachen und Auffassungen werden euch vorenthalten. Es gibt dort diese Redefreiheit und den freien Zutritt zur Kenntnis dessen, wie die übrige Welt lebt und denkt, nicht. Die Unkenntnis schafft Furcht und Argwohn. Wenn ihr Gelegenheit hättet, mehr britische Staatsangehörige zu treffen, und wenn ihr frei nach Großbritannien reisen könntet, so könnte diese Unkenntnis gebrochen werden. Hunderttausende unseres Volkes reisen jedes Jahr ins Ausland in die Ferien, und ich bin sicher, daß viele von ihnen mit Freude ihre Ferien in der Sowjetunion verbringen möchten, wenn sie unbehindert dorthin reisen könnten. Eure Regierung lehnt es aber aus mir unverständlichen Gründen ab, euch frei reisen zu lassen... Hat eure Regierung etwas zu fürchten? Ich möchte, daß eure Regierung dem englischen Beispiel folgt. Die Sendungen in englischer Sprache aus der Sowjetunion können frei gehört werden, und nicht nur die britische kommunistische Zeitung ›Daily Worker‹, sondern auch die ›Prawda‹ können frei gekauft werden.

Unsere Auffassung geht dahin, daß in einer freien und aufgeklärten Demokratie jedermann fähig ist, selber die Wahrheit dessen, was er hört und liest, zu erkennen. In Großbritannien legt man auf die persönliche Freiheit den größten Wert. Britische Staatsbürger werden nicht aus ihren Heimstätten vertrieben; sie werden nicht deportiert und nicht in Zwangslager verschickt. Wenn am frühen Morgen an die Türe geklopft wird, so braucht niemand zu befürchten, daß es die Polizei ist. Es ist wahrscheinlich nur der Milchmann oder der Postbeamte. Ich frage mich, ob ihr ehrlich erklären könnt, daß ihr diese gleiche persönliche Sicherheit besitzt wie jeder britische Bürger. Die Freiheiten der Engländer schließen auch das Vereinsrecht in sich und die politische Freiheit, das Recht gegen oder für die Regierung zu sein. Keine Gruppe hat das Monopol der Macht in Großbritannien...

Von der Freiheit des Westens

Man sagt euch, daß wir Kriegshetzer seien, daß wir gemeinsam mit den andern Ländern Westeuropas und mit den Vereinigten Staaten von Nordamerika uns bis zu den Zähnen bewaffnen, um die Sowjetunion anzugreifen, daß wir uns auf einen neuen Krieg vorbereiten. All dies ist nicht wahr. Das britische Volk, das zusammen mit dem russischen Volk die Leiden des Hitler-Krieges teilte, wünscht keinen 3. Weltkrieg. Unsere Allianzen sind Defensivbündnisse. Mit euch haben wir den englisch-sowjetrussischen Bündnisvertrag im Jahre 1942 abgeschlossen. Der Nordatlantikpakt ist ein anderes Defensivbündnis. Er richtet sich gegen niemand, außer gegen einen Aggressor. Großbritannien rüstet auf wegen der von der Sowjetregierung seit Kriegsende befolgten Politik. Wenn kommunistische und nichtkommunistische Staaten zusammen in der Welt leben können, warum ist es dann notwendig für eure Regierung, eine Politik fortzusetzen und Organisationen zu schaffen, deren einziger Zweck darin zu bestehen scheint, Unruhe und Haß zu säen? Während wir demobilisierten, hat eure Regierung starke Streitkräfte aufrechterhalten. Allmählich kamen wir dazu, einzusehen, daß das fehlende Gleichgewicht an militärischer Macht zwischen der Sowjetunion und den Westmächten unsere Existenz selbst gefährdet und daß das fehlende Gleichgewicht wiederhergestellt werden muß. Namens der britischen Regierung kann ich euch die Versicherung abgeben, daß kein Grund vorliegt, unsere Politik gegenüber dem sowjetrussischen Volk zu fürchten.

Weiß es die Prawda wirklich besser?

In der Antwort der *Prawda* heißt es z. B. zum Thema Freiheit der Meinung und der Personen:

Herr Morrison behauptet, daß es in der Sowjetunion keine Rede- und Pressefreiheit und keine Freiheit der Person gibt. Herr Morrison ist tief im Irrtum. In keinem einzigen Lande ist die Freiheit der Rede, der Presse, der Person und die Organisationsfreiheit für die Arbeiter, für die Bauern, für die Intelligenz in solchem Maße gesichert wie in der Sowjetunion. Nirgends gibt es so viele Arbeiter- und Bauernklubs, so viele Arbeiter- und Bauernzeitungen wie in der Sowjetunion. Nirgends hat die Organisiertheit der Arbeiterklasse eine solche Stufe erreicht wie in der Sowjetunion. Es ist für niemanden ein Geheimnis, daß die gesamte Arbeiterklasse, buchstäblich alle Arbeiter der UdSSR, gewerkschaftlich organisiert sind, ebenso wie alle Bauern den Genossenschaften angehören. Weiß das Herr Morrison? Offensichtlich nicht.

Mehr noch, er will es offenbar gar nicht wissen – er zieht es vor, sein Material von den Vertretern der russischen Kapitalisten und Gutsbesitzer zu beziehen, die nach dem Willen des Sowjetvolkes aus der UdSSR hinausgeworfen wurden. In der UdSSR gibt es keine Freiheit der Rede, der Presse, der Organisation für Feinde des Volkes, für die durch die Revolution gestürzten Gutsbesitzer und Kapitalisten. Es gibt ebenso keine Freiheit für unverbesserliche Diebe, Diversanten, Terroristen und Mörder, die von ausländischen Spionagediensten gedungen wurden, für Verbrecher, die auf Lenin schossen, die Wolodarski, Urizki, Kirow ermordeten, die Maxim Gorki und Kujbyschew vergifteten. Alle diese Verbrecher, angefangen von den Gutsbesitzern und Kapitalisten bis zu den Terroristen, Dieben, Mördern und Diversanten trachten danach, in der UdSSR den Kapitalismus wieder aufzurichten, die Ausbeutung des Menschen durch den Menschen wieder einzuführen und das Land mit dem Blut der Arbeiter und Bauern zu tränken. Für diese Herrschaften und nur für sie gibt es Gefängnisse und Arbeitslager. Erstrebt etwa Herr Morrison die Freiheit der Rede, der Presse und der Person für diese Kreise? Meint er vielleicht, daß die Völker der UdSSR sich damit einverstanden erklären, diesen Leuten die Freiheit der Rede, der Presse und der Person und folglich auch die Freiheit der Ausbeutung der Werktätigen zu geben?

Wer bestimmt, was Freiheit ist?

Herr Morrison schweigt allerdings über die anderen Freiheiten, die eine viel tiefere Bedeutung haben als die Freiheit der Rede, der Presse usw. Er sagt nichts über die Freiheit des Volkes von der Ausbeutung, über die Freiheit von Wirtschaftskrisen, von Arbeitslosigkeit und Elend. Möglicherweise ist es Herrn Morrison unbekannt, daß alle diese Freiheiten in der Sowjetunion schon längst gesichert sind? Doch gerade diese Freiheiten sind die Grundlage aller anderen Freiheiten. Schweigt sich Herr Morrison nicht gerade deshalb so schamhaft über diese Grundfreiheiten aus, weil es diese Freiheiten in England leider nicht gibt und die englischen Arbeiter weiter in das Joch der kapitalistischen Ausbeutung eingespannt sind, obwohl in England nun schon 6 Jahre lang die Labourpartei an der Macht ist?...

Was die englischen Rundfunksendungen (BBC) für die Sowjetunion betrifft, so sind sie bekanntlich in den meisten Fällen darauf gerichtet, die Feinde des Sowjetvolkes in ihrem Bestreben zu ermuntern, die kapitalistische Ausbeutung wiederherzustellen. Es ist begreiflich, daß die Sowjets eine derartige volksfeindliche Propaganda, die zudem eine Einmischung in die inneren Angelegenheiten der UdSSR darstellt, nicht unterstützen können.

Ägypten kündigt den Vertrag mit Großbritannien über die Stationierung britischer Streitkräfte am Suez-Kanal.
8. Oktober: Ägypten kündigt einseitig den Vertrag mit Großbritannien über die gemeinsame Herrschaft im Sudan.
Großbritannien verspricht daraufhin dem Sudan die Selbstverwaltung. König Faruk nennt sich jedoch »König von Ägypten und dem Sudan«.
König Faruk von Ägypten erhält für dieses Jahr 16. Mill. DM Apanage. Im Spielkasino von Cannes hat er in diesem Sommer einem Gerücht zufolge an einem Abend 600000 DM verloren, allerdings in den nächsten Tagen wieder zurückgewonnen.

König Faruk von Ägypten.

24. Dezember: In Tripolis wird das unabhängige Königreich Libyen unter Idris I. as-Senussi ausgerufen.
Portugal verwandelt seine afrikanischen Kolonien in »Überseeische Territorien« mit weitgehender Autonomie.
In Südafrika erhalten die Regionen der Bantu-Neger die ersten Selbstverwaltungseinrichtungen.

Schauplatz Amerika

Februar: Der 22. Zusatz zur amerikanischen Verfassung legt fest, daß der Präsident nur 2mal nacheinander gewählt werden darf.
Das oberste amerikanische Gericht verbietet die Verbreitung der kommunistischen Lehre.
Das Komitee für Atomenergie des amerikanischen Kongresses kommt zu dem Ergebnis, daß die Sowjets durch den Verrat von Atomgeheimnissen etwa 18 Monate gewonnen haben. Den größten Schaden hat Klaus Fuchs verursacht, Bruno Pontecorvo hat den Sowjets wahrscheinlich Tritium für die Wasserstoffbombe geliefert.
27. November: Der amerikanische Diplomat G. F. Kennan wird Botschafter in Moskau. Er ist der »Erfinder« der Eindämmungsstrategie gegenüber der Sowjetunion.
In der Charta von San Salvador wird die Organisation der mittelamerikanischen Staaten begründet, abgekürzt ODECA.

Im Land der unbegrenzten Möglichkeiten

Der arme Steuerzahler

Als das Stadtparlament von Boston Ausgaben in Höhe von 40 Mill. Dollar beschließt, meldet sich Thomas Key zu Wort und sagt: »Ich schlage vor, eine Minute des Schweigens einzulegen, um der bedauernswerten Steuerzahler zu gedenken, die zwar in diesem Hause nichts zu sagen haben, aber am Ende alles, was wir hier anzetteln, bezahlen müssen.«

Eine unerhörte Kühnheit

Die 67. Saison der Metropolitan-Oper in New York, eines der berühmtesten Opernhäuser der Welt, wird mit Verdis *Aida* glanzvoll eröffnet. Zum erstenmal tritt eine farbige Person in einer Starrolle auf: Der Solopart des Balletts wird von einer Negerin bestritten.

Das Wappentier

Bei Dillon im Bundesstaat Montana greift ein Adler ein tieffliegendes Sportflugzeug an und zerreißt die Bespannung der Tragflächen, so daß das Flugzeug notlanden muß.

Mieterschutz

In Kalifornien wird ein Gesetz erlassen, das es fortan Vermietern untersagt, Gebisse, Perücken, Holzbeine, Brillen usw. zu beschlagnahmen, wenn der Mieter nicht zahlt.

Dürfen Indianer den Heldentod sterben?

Die Gemeinderäte von Sioux-City verweigern einem Sohn ihrer Stadt die Beerdigung. Er ist im Korea-Krieg als Soldat gefallen, aber er ist Indianer. Daraufhin ordnet Präsident Truman die Bestattung des gefallenen Indianers auf dem Heldenfriedhof Arlington bei Washington an. Als sich die Gemeinderäte besinnen, ist es zu spät: Die Witwe ist bereits auf das Angebot des Präsidenten eingegangen.

Radioaktiv In Kanada wie in New York fällt im Laufe des Jahres radioaktiver Schnee bzw. Regen, der von Versuchsexplosionen in Nevada stammt.

Der Korea-Krieg – MacArthurs Sturz

Seit Mitte 1950 tobt der Korea-Krieg, wo die Vereinten Nationen die Verantwortung für das Schicksal des Landes übernommen haben. Die UN-Truppen stehen unter dem Kommando des amerikanischen Generals Douglas MacArthur, der auch im 2. Weltkrieg Oberbefehlshaber im Pazifik war. Nach wechselvollen Kämpfen besteht MacArthur darauf, nach Rotchina vorzudringen, das im Herbst 1950 in den Krieg eingegriffen hat. Daraufhin wird er von Präsident Truman entlassen.

Die Entlassung 11. April: Truman auf einer Pressekonferenz:

Mit tiefem Bedauern bin ich zum Schluß gekommen, daß Armeegeneral Douglas MacArthur unfähig ist, die Politik der amerikanischen Regierung und der Vereinten Nationen in Angelegenheiten, die zu seinen amtlichen

General Douglas MacArthur.

Pflichten gehören, voll zu unterstützen. Auf Grund der mir verfassungsmäßig auferlegten Verantwortlichkeit und der weiteren Verantwortung, die mir die Vereinten Nationen übertragen haben, habe ich mich dazu entschlossen, eine Änderung im Kommando für den Fernen Osten vorzunehmen. Ich habe deshalb General MacArthur seiner Kommandos enthoben und Generalleutnant Matthew B. Ridgway zu seinem Nachfolger ernannt. Eine umfassende und lebendige Debatte über Fragen der nationalen Politik ist ein grundlegendes Element des verfassungsmäßigen Systems unserer freien Demokratie. Es ist jedoch ebenso wichtig, daß die militärischen Befehlshaber sich an die Weisungen und Richtlinien halten, die ihnen im Einklang mit unsern Gesetzen und mit der Verfassung erteilt werden. In Krisenzeiten ist das von besonderer Wichtigkeit.

General MacArthurs geschichtliche Bedeutung als einer unserer größten militärischen Führer steht außer Zweifel. Die Nation ist ihm für die ausgezeichneten und außerordentlichen Dienste, die er dem Lande auf sehr verantwortungsvollen Posten geleistet hat, zu besonderem Dank verpflichtet. Aus diesem Grund verleihe ich nochmals meinem Bedauern darüber Ausdruck, daß ich mich zu dieser Maßnahme genötigt sah.

MacArthurs Rechtfertigung

19. April: MacArthur hält vor beiden Häusern des amerikanischen Kongresses eine Rechtfertigungsrede, in der er u.a. ausführt:

Wenn uns der Krieg aufgezwungen wird, so bleibt nichts übrig, als ihn unter Anwendung aller zu Gebote stehenden Mittel zu einem raschen Ende zu führen. Das Ziel des Krieges ist der Sieg, nicht ein verlängertes Unentschieden. Im Krieg gibt es für den Sieg keinen Ersatz. Es gibt Leute, die aus verschiedenen Gründen das kommunistische China ›befrieden‹ möchten. Sie haben die Lehre der Geschichte nicht gelernt. Die Geschichte lehrt auf unmißverständliche Weise, daß ein ›appeasement‹ nur neue und noch blutigere Kriege erzeugt. Es gibt keinen Fall, in dem ›Befriedung‹ zu mehr als nur einem Scheinfrieden geführt hätte. Wie Erpressung legt ›appeasement‹ die Grundlage zu neuen und sich folgenden Forderungen, und wie bei der Erpressung besteht die Alternative nur in Gewaltanwendung.

Warum, so wurde ich von Soldaten gefragt, dem Feind im Feld militärische Vorteile überlassen? Ich wußte darauf keine Antwort. Einige mögen sagen, ›um eine Ausdehnung des Konfliktes in einem allgemeinen Krieg zu verhindern‹, andere, ›um eine Intervention Rußlands zu umgehen‹. Keine der beiden Antworten scheint Gültigkeit zu haben, da China bereits mit einem Maximum an verfügbarer Macht am Krieg beteiligt ist und die Sowjets nicht notwendigerweise sich mit uns messen wollen. Wie eine Kobra wird jeder neue Feind mit größerer Wahrscheinlichkeit erst dann zuschlagen, wenn er militärisch oder auf einem andern Gebiet auf einer weltweiten Grundlage das Gefühl der Überlegenheit haben kann.

Die Tragödie in Korea erhöht sich noch durch die Tatsache, daß infolge der Begrenzung der militärischen Aktionsfreiheit gerade jenes Volk, dem man helfen will, die gewaltigen Zerstörungen durch die Luftwaffe und die Flotte auf sich nehmen muß, während der Feind aus einem Hinterlande operiert, das solchen Angriffen und damit der Zerstörung entzogen ist. Von allen Völkern der Welt hat bis jetzt Korea allein alles gegen den Kommunismus aufs Spiel gesetzt. Die Bewährung und der Mut und die Standhaftigkeit des koreanischen Volkes spottet jeder Beschreibung. Es zieht den Tod der Sklaverei vor.

Trumans Antwort

7. Mai: Truman begründet in einer Rede seine Entscheidung:

Ich habe es abgelehnt, unter den gegenwärtigen Umständen den Kriegsschauplatz im Fernen Osten zu erweitern, und ich werde Ihnen genau sagen, warum. Zunächst habe ich es aus militärischen Gründen abgelehnt. Der beste Rat auf militärischem Gebiet, den ich erhalten konnte – der beste militärische Ratschlag in diesem Land, der sich aus verschiedenen Meinungen herauskristallisiert hat –, lautete dahingehend, daß dieser Kurs nicht zu einer schnellen und einfachen Lösung des Korea-Konfliktes führen würde. Im Gegenteil, er könnte sehr leicht zu einem umfassenderen und wesentlich längeren Krieg führen. Ein derartiger Krieg würde unsere Verluste im Fernen Osten nicht vermindern – er würde sie enorm erhöhen. Ein derartiger Krieg würde unsere Truppen verheerenden Luft- und Unterseebootangriffen aussetzen. Es würde Japan und die Philippinen ernstlich gefährden, und das gesamte chinesische Volk hinter seine kommunistischen Anführer treten lassen.
Eine weitreichende Verstrickung der USA in einen Krieg in China würde außerdem, ohne Rücksicht auf dessen Ausgang, ernsthafte militärische Folgen in Europa nach sich ziehen. Nichts würde dem Kreml besser passen, als wenn die USA mit ihrem gesamten Potential in einem den restlosen Einsatz erfordernden Kampf in Asien verwickelt würden und damit Europa den sowjetischen Armeen offenstünde.

Das sind einige der militärischen Gefahren. Darüber hinaus gibt es aber noch andere Gefahren. Der Kreml versucht, wie seit langem schon, zwischen uns und die anderen freien Nationen einen Keil zu treiben. Die Sowjets möchten, daß die Vereinigten Staaten isoliert dastehen und daß man ihnen mißtraut. Sie wollen, daß uns unsere Alliierten fürchten und hassen. Unsere Alliierten billigen den von uns verfolgten Kurs. Sie sind nicht der Auffassung, daß die Vereinigten Staaten die Initiative zur Ausweitung des Konflikts im Fernen Osten ergreifen sollten. Würden die Vereinigten Staaten dies tun, so könnte es sehr wohl sein, daß sie ihren Weg dann allein gehen müßten. Wenn wir unseren Weg in Asien allein fortsetzen, könnten wir damit die Front der freien Nationen gegen die Aggressoren sprengen.

Die USA müssen an Europa denken

Unsere europäischen Alliierten sind Rußland näher als wir. Sie schweben in weit größerer Gefahr. Wenn wir uns über die Gefahr hinwegsetzen, die sie bedroht, dann könnten sie sich über die Gefahren hinwegsetzen, die uns bedrohen. Durch unser Abseitsstehen ist die Welt in die Katastrophe des 2. Weltkrieges gestürzt worden. Wir können in Asien nicht getrennt handeln, während wir in Europa vereint marschieren. Der Gedanke der Isolation ist in sich schon das direkte Gegenteil alles dessen, wofür wir seit dem Ende des 2. Weltkrieges eingetreten sind und gearbeitet haben. So könnte unsere Isolation in Asien die Vereinten Nationen, den Nordatlantik-Pakt und das ganze System der kollektiven Sicherheit zerstören, an dessen Aufbau wir gegenwärtig mitwirken. Das wäre ein großer Sieg der Sowjets.

Wir sind nicht gewillt, in diese Falle zu gehen. Ich mache nicht den Vorschlag, dieses Land angesichts der sowjetischen Gefahr seiner Alliierten zu berauben. Der Weg zum Frieden in Korea ist der Weg zum Frieden in der ganzen Welt. Wir sind entschlossen, unser Äußerstes zu tun, um den Korea-Krieg zu begrenzen. Wir werden keine Maßnahmen ergreifen, die uns unter Umständen die Verantwortung dafür aufbürden, einen allgemeinen Krieg begonnen zu haben. Wenn jedoch der Aggressor weitere Maßnahmen ergreift, die die Sicherheit der

UN-Streitkräfte in Korea gefährden, werden wir diesen Maßnahmen entgegentreten.

Die Bewertung

Daraufhin urteilt die *New York Herald Tribune* in einem Leitartikel:

Ein Vergleich zwischen der festen und gehaltvollen neuerlichen Feststellung des Präsidenten Truman über seine Politik mit den gefühlvollen und widersprechenden Angriffen, die gegen diese Politik von General MacArthur und seinen Gefolgsleuten unternommen wurden, muß endgültig entscheiden, welches Ergebnis diese sogenannte große Debatte haben wird. Es ist schwierig, anzunehmen, daß die endgültige Entscheidung gegen Truman gefällt wird. Diese Zeitung steht in politischer Opposition zum Präsidenten. Sie hat ihn in der Vergangenheit oft kritisiert und zweifelt nicht daran, häufig Gelegenheit zu haben, das gleiche in der Zukunft zu tun. Sie glaubt jedoch, daß eine faire Kritik sowohl seine Stärke als auch seine Schwächen anerkennen muß; sie glaubt, daß die Nation in erheblichem Maße Truman für den Mut verpflichtet ist, mit dem er diese Krise der amerikanischen Außenpolitik – wie schon frühere – gemeistert hat.

Viele glaubten, daß der Präsident durch die Entlassung MacArthurs seine eigene Karriere zerstöre. Und wenn auch nur wenige das Ausmaß und die Heftigkeit der Reaktion des Volkes vorausahnten, so konnte niemand daran zweifeln, daß der Präsident eine Sintflut herbeiführe. Als der Brief des Senators Martin die Dinge zu einer Krisis brachte, so wäre es der bequeme Weg eines Politikers gewesen, den Dingen auszuweichen, die Angelegenheit zu bemänteln und tatsächlich die asiatische und UNO-Politik vor dem Diktat MacArthurs resignieren zu lassen. Aber der Präsident konnte sich – wie es Verteidigungsminister Marshall jetzt klargemacht hat – auf den einstimmigen Rat der Generalstabchefs, des Verteidigungsministers und des Auswärtigen Amtes stützen, den General schnell und vollständig von der Szene seiner Wirksamkeit zu entfernen. Es war in erster

Linie eine militärische Entscheidung. Der General hatte sich bereits so sehr in Opposition zu der Politik begeben, die er auszuführen hatte, daß ihm nicht länger die Freizügigkeit der Entscheidungen zugestanden werden konnte, die für einen erfolgreichen Armeekommandanten wesentlich ist. Der Präsident entließ ihn ungeachtet der Konsequenzen, die sich bestimmt daraus ergeben würden.

Truman hat in innerpolitischen, aber auch außenpolitischen Angelegenheiten viele ernste Fehler und Unterlassungen begangen. In jedem Notstand hat er sich aber zu einer bemerkenswerten Stärke erhoben, sei es in den Fällen Persien, Griechenland und der Türkei, beim Marshall-Plan, der Berliner Blockade, in Korea und jetzt im MacArthur-Problem; er hat jedesmal die richtige Entscheidung gefällt, in Verfolgung seiner konsequenten Politik, das Streben nach Frieden mit der Entschlossenheit zum Widerstand zu verbinden.

In einer Umfrage erklärt eine Lehrerin in Columbus/Texas, sie könne keine Stellung zu dem Konflikt beziehen: Sie heißt mit einem ihrer Vornamen Truman, mit Nachnamen MacArthur.

Die USA und Rotchina

19. Mai: Dean Rusk, im Außenministerium der USA für den Ostblock zuständig, in einer Rede im China-Institut in Washington über die Position der USA gegenüber Rotchina und Nationalchina (Formosa):

Wir können unseren Freunden in China sagen, daß die USA die ihnen aufgezwungene Abdankung nicht hinnehmen werden. Wir anerkennen die Pekinger Behörden nicht als das, was sie zu sein vorgeben. Das Pekinger Regime mag eine russische Kolonialregierung, ein Mandschukuo größeren Stils sein, jedenfalls ist es nicht die Regierung Chinas. Es besteht nicht einmal die erste

Probe, denn es ist nicht chinesisch. Es ist nicht qualifiziert, in der Gemeinschaft der Nationen für China zu sprechen. Es ist nur zu der Frucht seines eigenen Betragens qualifiziert, der Frucht der Aggression, der es sich willfährig und sinnlos hingibt.
Wir anerkennen die Nationale Regierung der Republik China, auch wenn das Gebiet, das diese kontrolliert, sehr beschränkt ist. Wir glauben, daß diese Regierung die Auffassungen des chinesischen Volkes authentischer repräsentiert, insbesondere dessen historisches Verlangen nach Unabhängigkeit von fremder Kontrolle. Diese Regierung wird weiterhin wesentliche Hilfe und Unterstützung von den USA erhalten. Ich kann es kaum glauben, daß das chinesische Volk sich mit der Zukunft zufrieden geben wird, welche seine Meister ihm zu bereiten beabsichtigen. Die Ereignisse in China fordern sicherlich die Anteilnahme der Chinesen allüberall, in Formosa und Übersee, heraus. Es gibt etwas für China zu tun, das nur die Chinesen selbst tun können. Wenn die Chinesen sich erheben, um die Freiheit zu gewinnen und ihr Geschick in Übereinstimmung mit ihren geschichtlichen Zielen zu gestalten, so können sie auf eine gewaltige Unterstützung der Völker der freien Welt rechnen.

In Korea setzen die Amerikaner zum erstenmal im großen Maßstab Napalm ein.

Schauplatz Asien

1. September: Die UN erkennen *Israel* die ungehinderte Benutzung des Suez-Kanals zu.
König Abdallah von *Jordanien* wird in Jerusalem vor der Moschee ermordet, Hussein wird neuer König.
In *Syrien* putscht das Militär.

Der indische Ministerpräsident Nehru enthebt den *Maharadscha von Baroda* seines Amtes, dem dadurch 2,4 Mill. DM Jahreseinkünfte entgehen. Aber die Summe bleibt in der Familie: Der Sohn des Maharadschas wird der Nachfolger.

Das Himalaya-Königreich *Nepal* wird konstitutionelle Monarchie.

Auf der *malayischen Halbinsel* schlagen britische Soldaten einen Aufstand kommunistischer Partisanen nieder.

11. März: Die Arbeiterpartei *Indochinas* erklärt während des Unabhängigkeitskrieges gegen Frankreich, daß Vietnam erst frei ist, wenn auch die Nachbarländer Kambodscha und Laos befreit sind.

In *Nordvietnam* führt der laotische Prinz Souvanna Phong laotische Rebellen an (heute als Pathet Lao bekannt).

Rotchina führt landwirtschaftliche Produktionsgenossenschaften ein.

23. Mai: Rotchina gliedert *Tibet* ein.

8. September: In San Francisco schließen die westlichen Alliierten des 2. Weltkrieges einen Friedensvertrag mit *Japan.*

1. September: Die USA, Australien und Neuseeland gründen den *pazifischen Verteidigungspakt* ANZUS.

Wirtschaft und Verkehr

– das sollten Sie unbedingt wissen

2. April: Die westlichen Alliierten heben fast alle Produktionsverbote für die deutsche Industrie auf.

18. April: Frankreich, Italien, die Benelux-Staaten und die Bundesrepublik gründen die Montanunion.

19. April: In Frankfurt/Main wird die 1. Internationale Automobil-Ausstellung IAA eröffnet.

20. April: In Köln findet die erste Photo-Kina statt.

21. Mai: Für die Montanindustrie wird ein weitreichendes Mitbestimmungsmodell verabschiedet.

5. Juli: Die Bundesrepublik und die DDR schließen das Interzonenabkommen.

5. September: Die westlichen Alliierten beschlagnahmen die deutschen Vermögenswerte im Ausland aus der Vorkriegszeit.

Es entstehen die Chemiekonzerne BASF, Bayer Leverkusen und Farbwerke Hoechst.

Der größte europäische Erdöllieferant, Persien, sperrt die Zufuhr, um die Aktienmehrheit der Anglo Iranian Oil Company zu brechen.

Der Korea-Boom führt zu einer internationalen Energie- und Rohstoffknappheit.

Schuman-Plan und Montan-Union

Der Vertrag

18. April 1951: Frankreich, Italien und die Benelux-Staaten gründen zusammen mit der Bundesrepublik Deutschland die Europäische Gemeinschaft für Kohle und Stahl, kurz Montan-Union genannt. Sitz der Vereinigung wird Luxemburg. Die Montan-Union ist die erste übernationale Regelung der 6 europäischen Länder.

Die amerikanische Stellungnahme

Der amerikanische Außenminister Dean Acheson zu diesem Keim eines zukünftigen Europas:

Anläßlich dieses Jahrestages erscheint eine Ehrung des französischen Außenministers Robert Schuman angebracht. Als wirklicher Staatsmann steht er in der vordersten Front derjenigen führenden Persönlichkeiten Europas, die durch ihre schöpferischen Gedanken und mutige Initiative mit den Anstoß für die Verwirklichung des Wunders des europäischen Wiederaufbaus gegeben haben. Als Urheber des Planes zur Zusammenlegung der europäischen Kohle- und Stahlproduktion hat Schuman die Lösung für das ernsteste und kritischste Problem Europas aufgezeigt: die bisher zwischen Frankreich und Deutschland bestehende Rivalität. Darüber hinaus wird der Schuman-Plan, wenn er nach Annahme durch die Parlamente der sechs Mitgliedstaaten in Kraft tritt, dazu beitragen, daß das deutsche Volk als gleichberechtigter Partner mit den anderen Nationen enger in die europäische Gemeinschaft eingegliedert wird. Der Schuman-Plan verfolgt den Grundgedanken des Marshall-Planes, daß sich die europäischen Nationen gemeinsam um größere Freiheiten in ihrem Handelsverkehr bemühen sollen, die zu einer Erhöhung des Lebensstandards ihrer Völker führen. Robert Schuman verdient und erhält wegen seiner Weitsicht und Initiative bei der Entwicklung dieses Planes unsere größte Hochachtung.

Die Mitbestimmung

21. Mai: Das Gesetz über die Mitbestimmung der Arbeitnehmer in der Montanindustrie wird verabschiedet. Es stellt zum erstenmal im Aufsichtsrat die Parität zwischen Kapital und Arbeit her.

Vier Außenminister in Paris. V. l. n. r.: Dean Acheson (USA), Konrad Adenauer (BRD), Robert Schuman (Frankreich), Anthony Eden (Großbritannien).

Fakten aus der Industrie

In Industrie und Handwerk sind in Großbritannien 46,1% der Erwerbstätigen beschäftigt, in Deutschland 41,5%, in den USA 30,5%, in Italien 29,3%, in Japan 20% und in Indien 10,5%.

Der Schwefelausschuß der internationalen Rohstoffbehörde stellt fest, daß in diesem Jahr einem Bedarf von 6,4 Mill. t nur eine Erzeugung von 5,2 Mill. t Schwefel gegenübersteht. Es gibt daher einige Empfehlungen für die Kontrolle des Schwefelverbrauchs und für die Gewinnung zusätzlicher Schwefelmengen.

Im Laufe dieses Jahres werden die IG Farben entflochten. Aus dem größten Chemiekonzern der Welt, der in einem der Nürnberger Kriegsverbrecherprozesse verurteilt wurde, entstehen u.a. BASF Ludwigshafen, Farbwerke Hoechst und Bayer Leverkusen.

Das Schicksal der Firma Krupp

Zum Schicksal der Firma Krupp äußert sich der britische Minister Kenneth Younger:

Die Kruppschen Rüstungswerke sind demontiert worden und der verbliebene Besitz wird gemäß dem Gesetz Nr. 27 behandelt werden, das in erster Linie verhindern will, daß jene wieder in die Besitz- und Kontrollrechte eingesetzt werden, die der Förderung der aggressiven Ziele der NSDAP bereits für schuldig befunden wurden oder noch für schuldig befunden werden können. Die Nichtigerklärung einer früher ausgesprochenen amerikanischen Gerichtsverfügung hinsichtlich der Konfiskation des Eigentums Alfred Krupps durch den amerikanischen Hochkommissar hat auf die Durchführung des genannten Gesetzes keinen Einfluß...

Darauf Karl Arnold, Ministerpräsident von Nordrhein-Westfalen:

Ich benutze gern die Gelegenheit, um auch meinerseits zu erklären, daß die Landesregierung in Übereinstimmung mit der Stadt Essen der Auffassung ist, daß die Stadt Essen und die Firma Krupp weiterhin keinen Ausnahmebestimmungen unterliegen dürfen, sondern daß für sie die gleiche Rechtsstellung gegeben sein muß, wie für die übrigen Großunternehmen der Eisen- und Stahlindustrie. Sie unterliegen bekanntlich bezüglich ihrer Eigentumsverhältnisse dem Gesetz Nr. 27 der Alliierten Kommission. Danach hat über die Eigentumsregelung die Bundesregierung zu entscheiden. Es besteht keinerlei Veranlassung, das Problem unter anderen Gesichtspunkten zu sehen, als es für die sonstige Eisen- und Stahlindustrie gilt. Weder das Land, noch die Stadt, noch auch die Leitung und der Betriebsrat der Firma Krupp haben die Absicht oder auch nur den Wunsch, auf dem Gelände der ehemaligen Gußstahlfabrik einen Rüstungsbetrieb erstehen zu lassen.

In Nordrhein-Westfalen werden pro Jahr 22 Mrd. m^3 Wasser für industrielle Zwecke benötigt, das sind 1570 m^3 pro Kopf der Bevölkerung.

Notizen vom Geld

Nach Berechnungen der Bank für Internationalen Zahlungsausgleich hat der Zweite Weltkrieg insgesamt 6760 Mrd. DM gekostet. Davon trugen die USA 1400 Mrd. DM, die Sowjetunion 600 Mrd. DM, Deutschland 500 Mrd. DM, Großbritannien 400 Mrd. DM, Japan 280 Mrd. DM und Italien 100 Mrd. DM.

Immobilien

Geschäftswohnhs. n. Marienplatz, Mieteinnahme Mk. 26 000.-, Ausgaben ca. 12 000.-, Einheitswert Mk. 148 300.-, Kaufpreis Mk. 150 000.-.

Reizende Villa a. Kochelsee
5 Zim., Diele, Bad u. Zubeh., Garage, ca. 1 Tagw. Garten, Mk. 48 000.-.

Einfam.-Haus in Stockdorf
3 Zim. u. Zub., Garten, Mk. 14 000.-.

Kleinhaus m. eig. Seeufer
am Pilsensee, Mk. 16 000.-.

Villa a. Starnbergersee
mit eigenem **direktem Seeufer,** 7 Zim. u. Zubeh., vollständ. möbliert, Garten, Garage, Mk. 45 000.-.

A. Pütterich & Co.
Immobilien, München 27
Keplerstraße 9, Tel. 45 86 50

Wohnhaus in Ebersberg, mit ca. 1 Tgw. Obstg., eingez., schöne Lage, 11 Zim., z. Zt. 5 Mietparteien, **zu vertauschen. geg. nett., gut gebaut. Einf.-Haus** in Mü. (2 Zimm., Küche). Offerten unter H. H., Ebersberg vor Münch., postlag.

Kl. Miethaus mit großem Platz für Garagen, nächst Max-Weber-Platz, zu vk. Off. u. G 40966 an die Südd. Ztg.

Isartaler Holzhaus, 7×7 m. m. Garage, 2900.- zu vk. Off. u. R 40896 S. Ztg.

Fabrikanwesen
im Straßenbahnbereich
kurzfristig beziehbar, ca. 4000 qm ebenerd. Fabrikationsräume (modern, hell), 10 000 qm Grundstücksgröße, Dampfkesselanlage, schöne Büros, verschied. Nebengebäude, Garage.
Preis: ca. DM 360 000.
Anzahl. ca. DM 160 000.—
Fries & Co.
Grundstücksverwaltg. u. -verwertung
München 2, Schäfflerstraße 3—4,
Fernruf - Sammelnummer: 25 4 3 3.

Wintert. Holzwohnhäuser
Siedlungshäuser
DM 2800—5600.- usw. Transp. und Aufbau in 2—3 Wochen. Tel. 64871
Biolik & Co., Nibelungenstr. 26

10 Min. v. Bhf. Marquartstein hübsch. 80-qm-Einf.-Hs. m. 3 Z., K., Bd. u. Winterg., ab 10.4.51 bezb., 2 weit. Zi. vm., st. 570 qm Obstg., umständeh. b. 8000.- Anz. abgabenfr. z. verk. Off. A L P 3673. (*

Hübsch. Einf.-Hs., schweiz. Stil, 5 Zi., Zub., 20 km west Hptstr., Wa., Li., Tel., Garage, 2 N gd., 5 Tgw. Wald u. Wiese, 5 Min. Bahn, vk. auch get., ev. beziehb. Off. u. A Z W 41256 SZ.

Landhaus Nähe Freising
m. Nebengeb., 3 Zi., K., Bad, fl. Wasser, el. Licht, Schuppen, Keller, groß. Obstg., sof. beziehbar, anschl. Lagerhaus, Massivneubau, 90 qm, Speicher, L-Rampe, beton. Hof, alles best. Bauzustand, Gesamtgrundfläche 2400 qm, Bahnstation zusammen oder getrennt, zu verk. Zuschr. u. M S 41302 an SZ.

Geschäftshaus - 10 Läden
neu, beste Lage, Münch.-West, Selbstkosten 120 000.—, sofort abzugeben. **Preis nur 80 000.— DM,** beste Rente. Durch Kauf ist noch große Verdienstchance geboten. Bankausweis. Offerten unter G 41423 an die Südd. Zeitung.

Bestgepflegtes, beziehbares
Einfamilien-Haus
München-Ost, 1939 erstkl. geb., aller Komfort, 6 Zim., Mädchenzim., eingebaute Schränke, Kü., Speise, reizvoll. Wintergarten, gefl. Bad, Zentralheizg., 1000 qm Garten, Garage, Prs. 68 000 DM, Anzahlung 58 000 DM. (*3538
Johann Bössl, Immobilien, München-Gern, Kratzerstraße 22, Tel. 64 7 86.

Rentehaus a. südöstl. Stadtkern
Straßenbahnber., beste Kapitalverzsg. mit 10 Wohnungen, 2 Läden, bei ca. 20 000.- DM Anzahlung zu verkaufen.

Kleines Rentehaus i. Mü.-Süd
gut verzinsl. b. 10 000.- DM Anzahlg.

Würmufergrundstück
preiswert zu verkaufen.
Hans Klimmer, Grundbesitzverwertg., Mü. 25, Schneemannstr. 9. Tel. 70561*

Geschäfts-Wohnhaus
m. 800 qm Grund, Stadtbereich, prima Kap.-Anl. bill. zu vkf. Anz. n. Vereinb.
Beil Jos., Immob., Tel. 73989 Plinganserstr. 142 B.

Holzbaracke, 72qm, v. Priv. vk. Off. S 40448

Verk. sof. Baugrund in Gilching, etwa 1000 qm, geg. bar. Off. W 40931 SZ.

Ottobrunn
Neubau, 3-Fam.-Haus, ganz beziehbar, gute Lage, DM 30 000.-, **2-Fam.-Haus,** DM 22 000.-, **Bauplätze** ab DM 2000.- u. a. Objekte. **Ludwig ROTHENANGER,** Immob., Ottobrunn. Büro: München 5, Corneliusstr. 10/2. Mo.-Frtg. 15-19 Uhr

1 fabrikneue Halle in Ingenieurkonstruktion, 1000 qm
1 fabrikneue Baracke 8×20 m
1 fabrikneue Halle mit 475 qm, freitragend
1 gebrachte Baracke mit 333 qm
alle Bauwerke zerlegbar, günstig abzugeben. Zuschriften erbeten unter A K R 3760 an die Süddeutsche Zeitung. (*

Industriegelände mit Gleisanschluß
am Bahnhof einer Schnellzugstation in Schwaben, 40 000 qm, samt einer neuen Halle, freitragend, 20×50 m, günstig zu verkaufen. Offerten unter A H R 3761 an die Südd. Zeitg. (*

Telefon 34627, 34628, 34633.*

Gut einger. Schreinerei m. Grund, 500 qm, Werkst. a. Wohnh., Vorort, preisw. z. verk. Evtl. Beteilig. Off. S 41648 SZ

Holzhaus, 2 R., Martin-Luther-Str. 8.

Holzhäuser ab 1200.- bis 8000.- DM. **Spaik Holzbau, München-**Untermenzing, Eversbuschstraße 7. (/

Herrliche Villa
5 Zim., Kü., Bad, Heizung (Bauj. 48), 1 Tgw. Platz, sof. bezb., M. 35 000.-, sow. **Bauplätze mit Seeufer. F. Fleischmann, Immobil.,** Steinebach a. Wörthsee Obb., Tel. Weßling 881.(/

Garmisch-Partenkirchen
Komf. Landhaus-Fremdenh. 1949 erb., 8 Zimm., Kü., Bad, Gar., gz. beziehb., Garten, Anz. DM 30 000.- **F. Cassardt & Co.,** Imm., Garmisch, Bahnhofst. 56*

Landhaus i. Freimann erb. 1950
5 Zi., Bad, vollst. freiw. f. 26000.- b. 15000.- Anz. z. vk. Ralph Scharrer, Lenbachpl. 1, T. 56464, So. 793168

Kl. Landhaus, Gebirgssee, bzb. 20 000.-
4½ Zi. Einf.-Haus i. Mü., bzb. 39 000.-
6 Zim.-Landhs. Garmisch, bzb., 40 000.-
Rentehaus i. Mü., Miete 6390.- 45 000.-
Villa i. Geiselgasteig, bezb. 110 000.-
Josef Frei Immobil., Mü., Karlsplatz 8. Ruf 1398.

Rentehaus Milbertshofen
mit Garten, DM 30 000.-
Rentehaus mit Lagerkeller
(n. Goethepl.), Barpreisteil DM 45000.-
Ruineneckplatz Schwabing
DM 22 000.-, Anzahlung DM 8000.-
Georg Müller, Immobilien, München 15, Rückertstraße 4/III.

Fleischwarenfabrik
in Oberbayern, mod. u. neuw. einger., best. Vieheink.-Gebiet, gute Verkehrslage, altes Unternehmen, wird umständehalber langjährig verpachtet. Kaution ca. 3—5000 DM.
Ferdinand Dräge, Immobilien, Mü. 9, Birkenleiten 15, Fernruf 42603. (*

Herrschaftliches Villenanwesen
Herzogpark
10 Zimm., modern, aller Komfort, bester Bauzustand, Doppelgarage, parkartiger Garten, selten schönes Objekt, Herbst ganz beziehbar, für
DM 125 000.—
bei größerer Anzahlung zu verkfn.
Der Alleinbeauftragte:
WILHELM ERL
Grundstück-Verwertg. u. -Verwaltg
München, Maximiliansplatz 19
Telephon 20 4 56 und 25 4 88. (*/

Mustergut
herrl. Lg. Obb., 1000 Tgw., voll inv., selt. schö. Bes., Schloß m. 30 Räum., Zhg., beziehb., umst. verk. f. DM 550 000.—
BOSSERT
Immobilien, München 23, Martiusstr. 5, Tel. 34627, 34628, 34633*

In diesem Jahr gibt es neue 2-Mark-Stücke, neue 5-Mark-Stücke und neue 50-Mark-Scheine.
Die Scheine zeigen auf der Vorderseite den Nürnberger Kaufmann Imhoff nach einem Bild von Dürer, auf der Rückseite das Holsten-Tor in Lübeck.
Neuer deutscher Totorekord: DM 308401,-.
Viele deutsche Aktien steigen in diesem Jahr bemerkenswert, manche um das 3fache.
1 Dollar ist in diesem Jahr etwa 4,20 DM wert.

Neues vom Verkehr

Auto

Es werden in der Bundesrepublik am Tag 21 Menschen im Straßenverkehr getötet.
Die gebührenpflichtige Verwarnung beträgt in Deutschland DM 2,-.
Das VW-Werk in Wolfsburg, das bei Kriegsende zu $^2/_3$ zerstört war, produziert jetzt auf 280000 m^2 Produktionsfläche aus 2800 Einzelteilen mit Hilfe von 258 Zulieferern und 8000 Arbeitern alle 2 Minuten ein Auto. Der »Käfer« wird in 22 Länder der Erde exportiert.

Seite 112: Immobilienangebote aus München und Umgebung.

Oben: Mercedes Benz 170S, unten: Mercedes Benz 300. Seite 115 oben: Goliath Sport Coupé GP 700 S, unten: Goliath Normalausführung.

Erfolge
Erfolge
PHOENIX-HAMBURG

INTERNATIONALER
KB 080-424

Flugzeug

Die Entwicklung des Weltluftverkehrs

	1937	1947	1951
Flugstrecke in Mrd. km	0,3		1,6
Fluggäste in Mill.	2,5		39
Fluggäste pro km	1,4		34
Frachttonne pro km		297	900
Post in Tonnen pro km		132	240

S. 116: Borgward-Anzeige.

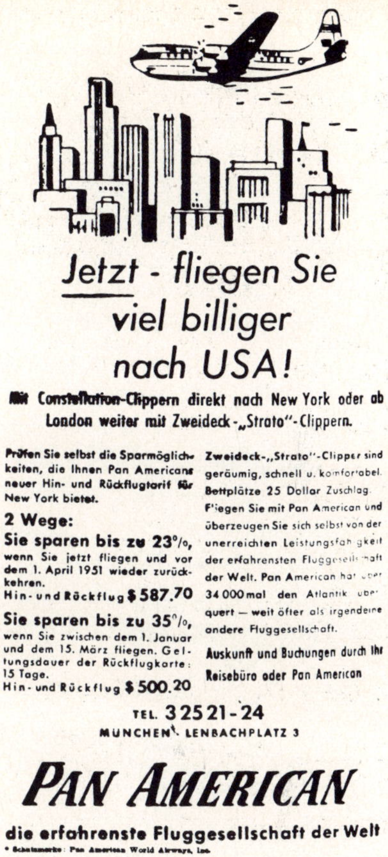

Anzeige von PanAm. Wechselkurs etwa 1 Dollar = 4,20 DM.

In diesen Zahlen ist die Sowjetunion nicht enthalten, die schon aufgrund ihrer riesigen Ausdehnung einen erheblichen Faktor im Luftverkehr bildet.

5. Juli: Zwischen Frankfurt/Main und Kairo wird über München, Mailand und Rom einmal wöchentlich eine Fluglinie eröffnet.

Charles F. Blair unternimmt den ersten Alleinflug über den Nordpol.
Der raketengetriebene Skyrocket erreicht 1,88fache Schallgeschwindigkeit und 24080 m Höhe.

Energie ist knapp

Kohle und Elektrizität

Es gibt zuwenig Kohle. Die Förderung des Kohlebergbaus wird daher groß geschrieben. Kohle ist rationiert. Und da es zuwenig Kohle gibt, gibt es auch zuwenig Elektrizität, die größtenteils aus Kohle gewonnen wird. Zeitweise werden Abschaltungen erwogen, mitunter auch durchgeführt.
15. Januar: Für größere Stromabnehmer wird wegen der schlechten Kohleversorgung der Stromverbrauch um 25% eingeschränkt.
Auf der Erde wird jährlich Energie im Wert von 2 Mrd. t Kohle erzeugt. Davon bestreiten 70% Kohle, 20% Erdöl, 8% Wasserkraft und 2% Erdgas.
Die Kohlenvorräte der Erde werden auf 5 Bill. t geschätzt. Davon entfallen auf die USA 2, auf die Sowjetunion 1,5, auf Europa 0,8 und auf Asien 0,7 Bill t.

Warum Persien kein Erdöl mehr liefern will

In Persien herrschen bürgerkriegsähnliche Zustände. Der Ministerpräsident wird ermordet, sein Nachfolger, Mossadegh, verstaatlicht die Erdölindustrie.

Persien fördert zu diesem Zeitpunkt 24% der Weltproduktion und liefert 60% des Erdöls, das in Europa verbraucht wird. Im Gefolge der Verstaatlichung ist die Produktion stark rückläufig und kommt zeitweise zum Erliegen.

In dem Streit mit den britischen Inhabern der Aktienmehrheit lehnen die Perser ein internationales Schiedsgericht ab. 15. Mai:

Der 3. Weltkrieg?

Wir werden alle in unserer Macht stehenden Mittel ergreifen, um wieder zu unseren Rechten zu gelangen. Wenn sich die Anglo-Iranian widerspenstig verhält, so besteht das mindeste, was wir tun können, darin, den von der Gesellschaft beschäftigten Ausländern in Ausübung unserer souveränen Rechte die Aufenthaltsbewilligung im Iran zu entziehen und sie zum Verlassen des Landes zu zwingen. Wenn die Gesellschaft ihre Einrichtungen nicht aushändigt, so muß sie die Bürde der Verantwortung für die Störung des Weltfriedens übernehmen: Dies wird den Anfang des 3. Weltkrieges bedeuten. Wir gehören den Vereinten Nationen an und haben, gestützt auf ihre Satzungen, das Recht, unsere Hilfsquellen selber zu erschließen und auszubeuten. Eine Fortdauer der Ausbeutung unseres Öls durch die Anglo-Iranian verstößt gegen unsere Souveränität.

Die Briten, die zeitweise den Einsatz der Flotte und von Fallschirmjägern erwägen, werden von den USA zur Mäßigung ermahnt. Mohammed Mossadegh beantwortet am 11. Juni eine Botschaft des amerikanischen Präsidenten Truman:

Das Volk und die Regierung Irans haben die Vereinigten Staaten von jeher als ihren aufrichtigen Freund betrachtet. Gestützt auf diese Freundschaft haben Regierung und Parlament von Iran – wie Sie selber auch – den

Persiens Ministerpräsident Mossadegh.

Wunsch, daß die Interessen der Länder, die bisher Abnehmer des iranischen Öls waren, nicht den geringsten Schaden erleiden.
Die Buchführung der Anglo-Iranischen Erdölgesellschaft hat mit den wahren Tatsachen nicht übereingestimmt, und selbst die publizierten Abrechnungen über den Gewinnanteil des iranischen Volkes, des alleinigen Besitzers des Öls, waren so dürftig, daß sie den Unwillen aller gerecht Gesinnten erregten. Wäre uns die gleiche Hilfe zuteil geworden wie andern Ländern, die vom Krieg in Mitleidenschaft gezogen wurden, hätte sich unsere Wirtschaft wieder erholen können. Selbst ohne eine solche Hilfe wären unsere Anstrengungen von Erfolg gekrönt gewesen, wenn wir dabei nicht durch die Gier der AIOC und durch die Umtriebe ihrer Agenten behindert worden wären. Ich frage Sie, Herr Präsident, al-

len Ernstes, ob das unter Entbehrungen leidende, duldsame iranische Volk, das bisher allen Arten einer starken revolutionären Propaganda widerstanden hat, nicht des Lobes und der Anerkennung würdig ist und ob es irgendeine andere Wahl gehabt hätte, als eben zur Verstaatlichung der Ölindustrie zu greifen, um dadurch den natürlichen Reichtum des Landes zu seinem eigenen Vorteil auszunützen und den unfairen Geschäften der AIOC ein Ende zu setzen.

Persiens Kampf um Selbständigkeit

Die iranische Regierung steht unter dem außerordentlichen Druck der öffentlichen Meinung, die ungeduldig die Enteignung der früheren Gesellschaft verlangt. Das Ziel der iranischen Regierung und der parlamentarischen Erdölkommission ist es, Maßnahmen zu ergreifen, um die weitere Lieferung des Öls an die Verbrauchsländer zu sichern und damit Ihrer Hauptsorge Rechnung zu tragen. Sie können versichert sein, Herr Präsident, daß das iranische Volk den Wunsch hat, die Freundschaft mit allen Nationen zu bewahren und insbesondere diejenige mit den Engländern, mit denen wir seit Jahrhunderten in Beziehungen stehen. Wir werden stets bestrebt sein, herzliche Beziehungen mit der britischen Regierung zu unterhalten und die Befürchtungen der britischen Regierung zu zerstreuen, die sich auf die Lieferung des iranischen Öls für ihre Zwecke beziehen. Es besteht daher für die Regierung und das Volk Großbritanniens kein Anlaß zur Besorgnis über ihre Beziehungen zu der Regierung und dem Volk Irans. Das iranische Volk lebt in einer schrecklichen Armut und Not. Geheimagenten der AIOC haben durch wirtschaftliche Druckmittel einerseits unsere Reformbestrebungen gelähmt und anderseits durch die Behauptung, der Iran verfüge über gewaltige Bodenschätze, verhindert, daß wir jener Hilfe teilhaftig wurden, die andern unter den Folgen des Krieges leidenden Staaten gewährt wurde. Es war immer das Bestreben der AIOC, unsere Einnahmen zu beschränken und uns unter einem schweren finanziellen Druck zu halten und uns zu zwingen, bei ihr um Hilfe nachzusuchen und uns dadurch alles aufzunötigen, was sie uns aufdrängen wollte.

Atomenergie

Der Diktator Perón meldet die Ansprüche Argentiniens an:

Die Vereinigten Staaten von Amerika entwickelten angesichts der Kriegsgefahr die Atombombe und die Atomenergie. Die Zertrümmerung von Urankernen bot damals die einzige Möglichkeit zur Produktion von Atomenergie, da das Hauptinteresse der Herstellung einer Atombombe galt, was die Errichtung von riesigen Fabriken und die Einstellung von Hunderttausenden von Arbeitskräften und die Ausgabe von Milliarden von Dollars bedingte. Andere Länder, beispielsweise Rußland und Großbritannien, haben in der Nachkriegszeit versucht, Atomenergie zu produzieren und die Atombombe herzustellen, wobei sie die gleiche Methode der Kernspaltung anwandten.

Während dieser Periode richtete Argentinien seine Anstrengungen auf die Nachahmung der Kernspaltung und investierte dabei enorme Geldmittel. Es beschritt aber auch einen neuen Weg, der zu besseren Resultaten oder aber auch zu einem Mißerfolg führen konnte. Die ersten Versuche waren erfolgreich und ermutigten uns, auf der Insel Huemul eine atomare Versuchsstation einzurichten. Im Gegensatz zu den im Ausland angewandten Verfahren arbeiten die argentinischen Techniker auf der Grundlage der ›Thermokernreaktionen‹. Um solche Reaktionen auszulösen, sind gewaltige Temperaturen von Millionen von Graden notwendig. Es handelte sich daher zunächst darum, ein Verfahren zur Erzeugung solcher Temperaturen zu finden. Der nächste Schritt bestand darin, Atomkerne in die Reaktionszone einzuführen, die der Reaktion fähig sind. Um katastrophale Explosionen zu verhindern, war die Entwicklung einer Prozedur erforderlich, die eine Kontrolle der thermonuklearen Kettenreaktionen ermöglicht. Unsere Ziele wurden erreicht. Die Ergebnisse zahlreicher Experimente führten zu den am 16. Februar erstmals vorgenommenen grundlegenden Versuchen. Sie gründeten sich auf das Prinzip der kontrollierten Erzeugung von Atomenergie.

Argentiniens Triumph

Es mag von Interesse sein, den Technikern im Ausland mitzuteilen, daß im Verlauf unserer Versuche mit thermonuklearen Reaktionen die Probleme der sogenannten Wasserstoff-Atombombe eingehend untersucht wurden. Mit Erstaunen haben wir festgestellt, daß die Publikationen der höchsten Autoritäten der ausländischen Wissenschaft über diese Frage sehr weit von der Wirklichkeit entfernt sind. Argentinien braucht Atomenergie und ist fest entschlossen, solche zu produzieren und sie ausschließlich industriellen Zwecken zugänglich zu machen. Das ist für uns eine Notwendigkeit, da wir nicht wie andere Länder über Betriebsstoffe verfügen. Radioaktive Isotope, die sich als Nebenprodukte ergeben, werden der Wissenschaft zu Forschungszwecken überlassen werden.

Es war mein Wunsch, dem argentinischen Volk über eine Tatsache zu berichten, die für seine Zukunft und, daran zweifle ich nicht, auch für die Zukunft der Welt von höchster Bedeutung sein wird. Ich hege dabei die Hoffnung, daß alle Argentinier diesem großen Projekt ihre Unterstützung gewähren werden, das unserem Land gewaltigen Nutzen bringen wird.

Der Korea-Boom

Im Gefolge des Korea-Krieges werden alle Rohstoffe knapper und teurer, überall sind inflationäre Tendenzen zu beobachten. Kennzeichnend für die Situation ist ein Aufruf des Schweizer Bundesrates zum Beginn des Jahres an die Schweizer:

Der Krieg in Korea hat eine Verknappung und Verteuerung gewisser Rohstoffe und Nahrungsmittel auf den internationalen Märkten mit sich gebracht. Die Rückwirkungen dieser Entwicklung sind für unser Land nicht ausgeblieben, wenn sie auch für den Verbraucher bisher relativ wenig fühlbar geworden sind. Der Lebenskostenindex weist noch immer einen tieferen Stand auf als Ende 1948. Die aus dieser neuen Lage entstehenden Probleme wirtschaftlicher, sozialer und politischer Natur können in Zukunft nur dann mit einem Minimum an Vorschriften und Zwang gelöst werden, wenn sich alle Kreise, Industrielle, Handel- und Gewerbetreibende, Landwirte, Arbeiter und Angestellte, solidarisch verhalten, wenn sie bei allen ihren Handlungen dem Gemeinwohl Rechnung tragen und in ihren Ansprüchen Maß halten. Wir alle bilden eine Schicksalsgemeinschaft; jeder muß sich der Verantwortlichkeit bewußt sein, die er zu tragen hätte, falls durch sein Verschulden die Schweiz zum Schauplatz sozialer Konflikte und nutzloser Kämpfe werden sollte. So wie heute die Dinge liegen, darf niemand die Lage ausnutzen, um unbegründete Preiserhöhungen vorzunehmen und unberechtigte Gewinne zu erzielen. Mißbräuchliche Preiserhöhungen werden entsprechende Lohnforderungen auslösen, die ihrerseits zu neuen Preissteigerungen führen, ohne daß jemand davon einen wirklichen Nutzen hätte...

Lebenshaltungskosten – alles wird teurer

17. Januar: Die Bundesregierung erhöht den Preis für Benzin von 55 Pf auf 65 Pf, für Diesel von 38 Pf auf 45 Pf.

1. April: Die Arbeitslosenunterstützung wird um 10% erhöht.

1. Juni: Die Renten werden um 25% erhöht.

1. Juni: Der Preis für Milch und Butter wird erhöht: Statt 38 Pf kostet jetzt 1 l 42 Pf, statt DM 5,82 kostet jetzt 1 kg Butter DM 6,34. Begründung: Die Milch wird jetzt nicht mehr entrahmt, sie ist jetzt besser, wertvoller. Natürlich fällt dadurch weniger Butter an.

Das kosten Lebensmittel.

1. Juli: Die Beamtengehälter werden um 25% erhöht.

15. Oktober: Die Bundesbahn erhöht die Preise um 15 bis 30%. Der Bahnkilometer 3. Klasse kostet nun 6,9 statt 6 Pfennig, 2. Klasse statt 8,7 nun 12,4 Pfennig.

Aufgrund einer weltweiten Zuckerknappheit erhöht sich der Preis pro Kilogramm von DM 1,14 auf DM 1,32.

Ein Zentner Kartoffeln kostete 1937 RM 3,05, 1943 RM 4,25, 1947 RM 4,30, 1948 DM(!) 5,85, 1949 DM 6,-, 1950 DM 6,50, 1951 DM 8,50.

Die Umsatzsteuer wird von 3% auf 4% erhöht.

Der Verschwender

In München wird das Residenztheater, das Staatliche Schauspielhaus, neu eröffnet. Kostenvoranschlag: 7,3 Mill. DM, Endabrechnung: 11,5 Mill. DM. Auf Anfrage erklärt der Oberste Bayerische Rechnungshof, die Kostenüberschreitung sei zu verstehen. Das Theater wird eröffnet mit Ferdinand Raimunds *Der Verschwender*.

Preissteigerung von 1950 auf 1951 in DM

	15. 6. 1950	18. 5. 1951
Roggenbrot kg	–,41	–,58
Mischbrot kg	–,48	–,67
Weizenmehl kg	–,55	–,81
Rindfleisch kg	3,70	4,–
Schweinefleisch kg	3,44	4,–
Speiseöl l	2,70	4,02
1 Paar Fahrradreifen	14,87	20,98
Porzellanteller weiß	1,07	1,15
Kinderschuhe Rind Gr. 35	17,99	22,30
Herrenhose Gr. 48	27,28	34,18

Wissenschaft und Kunst

– das sollten Sie unbedingt wissen

Die Herz-Lungen-Maschine wird eingeführt.
Styropor wird eingeführt.
Die Polaroid-Kamera wird patentiert.
Der Kugelschreiber setzt sich durch.
In den USA wird das Farbfernsehen eingeführt.
Es erscheinen die ersten Romane von Heinrich Böll und Siegfried Lenz sowie der zeitkritische Roman *Der Fragebogen* von Ernst v. Salomon.
In Vence wird die Kirche von Henri Matisse fertig, in London die Royal Festival Hall, in Marseille das Wohnmodell »L'Habitation« von Le Corbusier.
Die Filme *Endstation Sehnsucht, Ein Amerikaner in Paris* und *Der Untertan* kommen heraus.
Den ersten Preis der Biennale in Venedig erhält der japanische Film *Rashomon.*

Aus der Welt des Glaubens

Therese Neumann aus Konnersreuth empfängt »auf übernatürliche Weisung« an Ostern keine Besucher. Ihre Wundmale bluten diesmal nicht, sind aber nach ihrem eigenen Urteil besonders deutlich erkennbar.

11. Juli: Der 3. Deutsche Evangelische Kirchentag findet in Ostberlin statt. Er wird von vielen westdeutschen Politikern boykottiert.

13. Oktober: Papst Pius XII. gibt während eines Aufenthaltes in dem Wallfahrtsort Fatima/Portugal bekannt, daß er selbst im Vorjahr mehrere Marienerscheinungen hatte.

Die Abtreibung

8. Dezember: Papst Pius XII. erläutert in einer Ansprache an die »Front der Familie« seine Ansicht über die Geburtenregelung:

Es bedeutet einen Irrtum, die Fragestellung mit der Alternative zu beginnen: entweder das Leben des Kindes oder das Leben der Mutter. Nein! Weder das Leben der Mutter noch das Leben des Kindes können einem Akt der direkten Vernichtung unterzogen werden. Für den einen wie für den anderen Teil kann nur die eine Forderung bestehen: alles aufzubieten, das Leben beider zu retten, der Mutter und des Kindes. Wenn aber trotz allen Fortschritten der Wissenschaft noch Fälle übrigbleiben, in denen man mit dem Tode der Mutter rechnen muß, will diese die Geburt des Lebens, das sie in sich trägt, zu Ende führen und nicht zerstören unter Verletzung des Gebotes Gottes: Du sollst nicht töten! – so bleibt dem Menschen nichts übrig, als sich in Ehrfurcht vor den Gesetzen der Natur und dem Walten der göttlichen Vorsehung zu beugen...

Wir haben absichtlich immer den Ausdruck gebraucht

›direkter Angriff auf das Leben eines Schuldlosen‹, ›direkte Tötung‹. Denn wenn z. B. die Rettung des Lebens der zukünftigen Mutter, unabhängig von ihrem Zustand der Schwangerschaft, dringend einen chirurgischen Eingriff oder eine andere therapeutische Behandlung erfordern würde, die als keineswegs gewollte oder beabsichtigte, aber unvermeidliche Nebenfolge den Tod des Kindes im Mutterleib zur Folge hätte, könnte man einen solchen Eingriff nicht als einen unmittelbaren Angriff auf schuldloses Leben bezeichnen. Unter solchen Bedingungen kann die Operation erlaubt sein wie andere vergleichbare ärztliche Eingriffe.

Die Kongregation des Heiligen Offiziums in Rom verbietet allen Priestern die Mitgliedschaft im Rotary-Club unter Berufung auf Artikel 684 des Kanonischen Rechts, der vor Geheimgesellschaften warnt.
Kardinal Spellman fordert die Amerikaner auf, den Film *Das Wunder von Mailand* zu boykottieren, der »eine gemeine Beleidigung für jeden Christen« sei.

Tibets Oberhaupt, der Dalai Lama, wird volljährig.

Bildung – noch sind die Probleme relativ klein

In der Bundesrepublik dreht sich der Streit unentwegt um das Thema, ob das Schuljahr an Ostern oder im Herbst beginnen soll. Bayern beginnt im Herbst, alle anderen Länder im Frühjahr.

7./8. April: Die *Süddeutsche Zeitung* veröffentlicht einen Überblick unter dem Titel »Im Irrgarten der Schulreform« – 6 Jahre nach Kriegsende.

Die Bundesrepublik meldet für das Wintersemester 1950/51 112000 Studenten, darunter 19000 Studentinnen.

An der Universität Freiburg/Br. wird die »Gesellschaft für Parapsychologie und Grenzgebiete der Psychologie« gegründet.

In den USA werden 1,4% des Volkseinkommens (71,– DM pro Kopf) für die Forschung aufgewandt, in Großbritannien 1% (25,– DM pro Kopf) und in der Bundesrepublik 0,4% (8,– DM pro Kopf).

Die USA planen für die Jahre 1949–1954 einen Forschungsaufwand, der dem der Jahre 1790–1949 entspricht.

Die Sowjetunion meldet 800 akademische Anstalten mit 80000 Professoren und 1 Mill. Studenten.

Australien meldet: 8 Universitäten und 2 Colleges mit 30000 Studenten.

Anfang des Jahres sind im Ruhrgebiet 25000 Lehrstellen nicht zu besetzen.

Nobelpreise

Den Friedensnobelpreis erhält der französische Gewerkschaftsführer Léon Jouhaux, den Nobelpreis für Literatur der schwedische Romancier Pär Lagerkvist *(Barrabas)*, den Preis für Physik der Brite John D. Cockcroft zusammen mit dem Iren Ernest Th. Walton für die Erforschung der Atomkernumwandlung, den Preis für Chemie die beiden Amerikaner Glenn T. Seaborg und Edwin M. McMillan für Arbeiten auf dem Sektor der Transurane, und der Amerikaner Max Theiler den Preis für Medizin für die Entwicklung eines Mittels gegen das Gelbfieber.

Zum erstenmal findet in Lindau am Bodensee unter dem Ehrenprotektorat des Grafen Lennart Bernadotte die Nobelpreisträgertagung mit Nobelpreisträgern aus den naturwissenschaftlich-medizinischen Gebieten statt.

Mathematik, Physik, Astronomie

Im Computer wird die bisher größte Primzahl – 81stellig – ermittelt.

Im Experiment wird zum erstenmal die Existenz des Positroniums nachgewiesen, dessen Existenz seit 17 Jahren behauptet worden war.

Mit Hilfe des Feldelektronenmikroskops gelingt es, die Bewegung der Atome auf dem Fluoreszenzschirm sichtbar zu machen.

Durch Beschuß von Uran mit Kohlenstoffkernen wird das Californiumisotop erzeugt.

Die seit 1944 vorausgesagte Wasserstoffstrahlung im interstellaren Raum mit einer Wellenlänge von 21 cm wird zum erstenmal beobachtet.

Es wird nachgewiesen, daß der Andromeda-Nebel (eine große Spiralgalaxie und das nächste externe galaktische System, wenn man von den Magellanschen Wolken absieht, die zur Galaxiengruppe der Milchstraße gehören) eine Radiostrahlung aussendet, die der der Milchstraße entspricht.

In die astronomische Fotometrie wird das 3-Farbensystem als Standardsystem eingeführt, um Sternhelligkeiten und -farben zu messen.

Mit einem Sonnenmagnetographen wird der Zeemann-Effekt gemessen und ein allgemeines Magnetfeld auf der Sonne von 1 bis 2 Gauß nachgewiesen.

Medizin, Biologie und Chemie

Die Herz-Lungen-Maschine für Operationen am blutleeren Herzen wird eingeführt.

Die Einführung der vegetativen Blockade, auch als künstlicher Winterschlaf bekannt, ermöglicht Operationen ohne Narkose.

In der Krebstherapie setzt sich die Verwendung von radioaktivem Kobalt 60 mehr und mehr durch.

Der Deutsche Zentralausschuß für Krebsbekämpfung und Krebsforschung wird gegründet. Er ist der Nachfolger des Deutschen Zentralkomitees zur Erforschung und Bekämpfung von Krebskrankheiten.

Das Antibiotikum Viomycin wird entdeckt, das sich besonders zur Bekämpfung der Tuberkulose eignet.

Die Produktion von Penicillin ist in den USA von 1945 bis 1951 von 12 t auf 195 t gestiegen, von Streptomycin von 6 t auf 160 t.

Es wird möglich, Blutkonservierungsverfahren methodisch exakt zu überprüfen.

Bei der Teilung von Bakterienzellen wird eine Zellkernteilung festgestellt.

In Europa ist die Diphtherie von 183000 Fällen 1947 auf 69000 Fälle zurückgegangen.

Die Pharmakopsychiatrie wird entwickelt, die sich mit der seelischen Beeinflußbarkeit des Menschen durch Medikamente beschäftigt.

176 Jahre nach der ersten Isolierung des Cholesterins gelingt es, den Stoff synthetisch herzustellen.

Zum erstenmal wird die Struktur eines Proteinteils erklärt.

Die Papierchromatographie zur analytischen Trennung organischer Stoffe wird eingeführt.

Die BASF bringt den Schaumkunststoff Styropor auf den Markt.

Werden wir immer gesünder?

In New York gelingt es Medizinern, eine 25jährige Frau ins Leben zurückzurufen, deren Herz bei einer Operation 16 Minuten lang stillstand. Bis jetzt galten 5 Minuten Herzstillstand als das höchste, was zu überleben möglich war. Die Patientin hat sich in relativ kurzer Zeit wieder vollkommen erholt.
Die amerikanische Gesellschaft für Krebsbekämpfung unterhält 600 Spezialkliniken, weitere 900 sind geplant.
Die Weltgesundheitsorganisation schätzt, daß 300 Mill. Menschen an Malaria leiden, weitere 300 Mill. an Tuberkulose.
In Großbritannien kommen in diesem Frühjahr 10000 Menschen im Gefolge einer weltweiten Virusgrippe ums Leben.

Neue technische Möglichkeiten

Bauwerk In London wird der bisher größte Aluminiumkuppelbau mit 55 m Radius eröffnet.
Die Brücke zwischen Köln und Mülheim wird eröffnet. Ihre größte Stützweite beträgt 314 m.
Die Tunnelbaugeschwindigkeit ist seit 1872 von 21 m im Monat auf 740 m gestiegen.

Die Tauernkraftwerke Kaprun werden fertig. Höhe 120 m. Stärke des Fußes 48 m, des Kammes 7 m.

In den USA

In den USA wird in einem Sonnenofen von 3 m Durchmesser eine Temperatur von 2000° C erzielt.

Die Entstehung des Smogs von Los Angeles wird untersucht und festgestellt, welche Schäden er im einzelnen hervorruft.

Die Polaroid-Kamera (Sofortbild), die im Prinzip seit 1947 bekannt ist, erhält den ersten Patentschutz.

Die Erdoberfläche

Nur 2% der Erdoberfläche sind im Maßstab 1:25000 kartographiert, nur 42% genauer als 1:250000.

Um den Meeresboden besser untersuchen zu können, wird das Unterwasserfernsehen entwickelt.

Das britische Schiff »Challenger« mißt im Pazifik die bisher größte Tiefe mit 10863 m.

Die Medien

Es gibt 218 Mill. Rundfunk- und Fernsehempfänger auf der Welt, davon 119 Mill. in den USA, im übrigen Amerika 16 Mill., in Europa 64 Mill., in Asien 13 Mill., in Australien 3,5 Mill., in Afrika 2,5 Mill.

In den USA wird das Farbfernsehen eingeführt.

In Hamburg beginnt man die Hörermeinung zu ermitteln, indem man die Ein- und Abschaltquoten der Empfänger registriert.

Die Erfindungen des Jahres

Auf der Pariser Erfindermesse erregen folgende Neuheiten die Aufmerksamkeit:
der Rucksack-Hubschrauber von Raymond Hausstetter, 18 kg schwer, Zweitaktmotor, 45 ccm Hubraum, 2 Stunden Flugzeit;
aus Belgien für Kasernen eine Suppenverteilungsmaschine, die in 15 Minuten 700 Liter Suppe in Teller füllt;
eine Uhr auf Kugellagern aus der Schweiz;
eine Eierstempelmaschine, die es erlaubt, endlich auch Eier als Werbeträger, z.B. für 4farbige Anzeigen und Slogans, zu nutzen;
ein Fahrrad mit Raketenantrieb.

Neue Bücher, von denen man spricht

Theodor W. Adorno, *Minima moralia*
Stefan Andres, *Wir sind Utopia*
Wystan H. Auden, *Das Zeitalter der Angst*
Simone de Beauvoir, *Das andere Geschlecht*
Heinrich Böll, *Wo warst du, Adam?*
Gwen Bristow, *Kalifornische Sinfonie*
Heimito v. Doderer, *Die Strudlhofstiege*
William Faulkner, *Griff in den Staub*
Helmut Gollwitzer, *Und führen, wohin du nicht willst*
Hugo Hartung, *Der Himmel war unten*
Hitlers Tischgespräche im Führerhauptquartier 1941–42
James Jones, *Verdammt in alle Ewigkeit*

Seite 136: Der Staudamm des Tauernkraftwerkes Kaprun.

Niko Kazantzakis, *Griechische Passion*
Wolfgang Koeppen, *Tauben im Gras*
Siegfried Lenz, *Es waren Habichte in der Luft*
Curzio Malaparte, *Kaputt*
Thomas Mann, *Der Erwählte*
Hans Werner Richter, *Sie fielen aus Gottes Hand*
Ernst von Salomon, *Der Fragebogen*
Fabian von Schlabrendorff, *Offiziere gegen Hitler*
Lutz Graf Schwerin v. Krosigk, *Es geschah in Deutschland*
Annemarie Selinko, *Desirée*
Marguerite Yourcenar, *Ich zähmte die Wölfin*

Aus der Welt der Literatur

Die Frankfurter Buchmesse Sie zieht von der Paulskirche auf das Messegelände um. Kritiker meinen, nun habe der Kaufmann über den Verleger gesiegt. Es haben sich 520 Aussteller und 15 000 Besucher eingefunden.

Albert Schweitzer Er erhält in diesem Jahr den Friedenspreis des Deutschen Buchhandels. Die Laudatio hält sein alter Freund Bundespräsident Theodor Heuss.

Kurz zuvor hat Schweitzer ein Angebot abgelehnt, die Rechte für die Verfilmung seines Lebens gegen 200 000 Dollar (über 800 000

DM) zu verkaufen. Sein Leben sei dem Dienen, nicht dem Verdienen gewidmet.

Taschenbücher In Deutschland beginnt das Taschenbuch seinen Siegeszug. Rowohlt, der 1950 damit anfing, meldet nach einem halben Jahr 1,1 Mill. verkaufte Exemplare. Verkaufspreis: DM 1,50.

Die amerikanische Bestsellerliste im Weihnachtsgeschäft

1. C. W. Ceram, *Götter, Gräber und Gelehrte*
2. Die Memoiren des Herzogs von Windsor
3. Desmond Young, *Der Wüstenfuchs* (Rommel)

Dichters Nachlaß Shaws Testament wird eröffnet. Es sind 4,3 Mill. DM zu verteilen. Ein Posten soll darauf verwendet werden, ein Alphabet mit 40 Buchstaben zu erfinden, damit Englisch lautgerecht geschrieben werden kann. Dann stellt sich jedoch heraus, daß das Bargeld nicht einmal ausreicht, die Erbschaftssteuern zu bezahlen.

Der »Kutscher-Test« Prof. Arthur Kutscher, a.o. Professor für Literaturkritik an der Universität München, eine Institution des literarischen Lebens, pflegt jedes Jahr seine Studenten zu fragen, wer die bedeutendsten deutschen Dichter der letzten 50 Jahre seien. In diesem Jahr antworten 112 Studenten folgendes:
Hermann Hesse 89, Rainer Maria Rilke 87, Thomas Mann 82, Gerhart Hauptmann 75,

Hans Carossa 69, Stefan George und Ernst Wiechert je 60, Carl Zuckmayer 50, Bert Brecht 46, Ernst Jünger 41.

»Ich radle um die Welt«

3. September: Heinz Helfgen startet zu seiner legendären Reise; der Bericht darüber wird ein berühmter Bestseller.

Lyrik in Gegensätzen

Der bedeutendste deutsche Lyriker dieser Jahre, Gottfried Benn, veröffentlicht einen neuen Gedichtband unter dem programmatischen Titel *Fragmente*. In dem Titelgedicht stehen folgende Sätze:

»Ausdruckskrisen und Anfälle von Erotik:
das ist der Mensch von heute,
das Innere ein Vakuum,
die Kontinuität der Persönlichkeit
wird gewahrt von den Anzügen,
die bei gutem Stoff zehn Jahre halten.«

Im gleichen Jahr veröffentlicht auch der Präsident des Deutschen Bauernverbandes, Edmund Rehwinkel, einen Gedichtband. Darin findet sich ein Gedicht mit dem Titel »Neuer Anfang«, das man als Leitmotiv des wirtschaftlichen Wiederaufbaus apostrophieren könnte. Darin heißt es:

»Nun legt die Hände nicht in den Schoß,
und laßt das Zagen und Sorgen,
und trauert nicht mehr Vergangenem nach,
denkt lieber an heute und morgen.«

Der Lyriker Gottfried Benn wird berühmt.

Premierenfieber

In diesem Jahr finden folgende Uraufführungen statt:
Jean Anouilh, *Colombe* (Paris)
Ernst Barlach, *Der Graf von Ratzeburg* (Nürnberg, posthum)
Bert Brecht/Paul Dessau, *Das Verhör des Lukullus* (Ostberlin)
Jean Cocteau, *Bacchus* (Paris)
Max Frisch, *Graf Oederland* (Zürich)
Eugène Ionesco, *Die Nachhilfestunde* (Paris)

Gabriel Marcel, *Rom ist nicht mehr Rom* (Paris)
Jean Paul Sartre, *Der Teufel und der liebe Gott* (Paris)
Peter Ustinov, *Die Liebe der vier Obersten* (London)
Tennessee Williams, *Die tätowierte Rose* (New York)

E-Musik

In London wird *Billy Budd*, eine Oper von Benjamin Britten nach einer Erzählung von Herman Melville, uraufgeführt.
In der La Fenice Opera in Venedig wird *Der Lebenslauf eines Wüstlings* von Igor Strawinsky uraufgeführt. Der Komponist dirigiert selbst.
Kirsten Flagstad, die weltberühmte Wagner-Sängerin, gibt an der Covent Garden Opera in London ihre Abschiedsvorstellung.
Die Oper *Boulevard Solitude* von Hans Werner Henze wird uraufgeführt.
Die Symphonie *Die Harmonie der Welt* von Paul Hindemith wird uraufgeführt.

Im Spiegel der Kunst

Picasso malt das aktuelle Bild »Massaker in Korea«, erzielt damit aber nicht mehr die Wirkung wie anläßlich des Spanischen Bürgerkriegs mit »Guernica«.

Der spanische Surrealist Salvador Dali wendet sich christlichen Themen zu. So malt er »Crucifixion«, heute in Glasgow, und »Das letzte Abendmahl«, heute in Washington.

Die Bundesrepublik erlebt die erste große Max-Ernst-Retrospektive nach dem Krieg.

Das Museum of Modern Art in New York gibt den ersten großen Überblick über abstrakte Malerei und Plastik in den USA.

Die Biennale in Sao Paulo vergibt ihre Preise an den Schweizer Max Bill und an die französische Bildhauerin Germaine Richier.

Marino Marini, der italienische Bildhauer, schafft eine Porträtbüste des amerikanischen Komponisten Igor Strawinsky, die sich heute in Minneapolis befindet.

In Vence an der Côte d'Azur wird eine Kirche eingeweiht, die der französische Maler Henri Matisse geschaffen hat.

Die Kirche von Audincourt südlich Belfort nahe der Schweizer Grenze wird fertig: Glasmalerei von Fernand Léger, Mosaiken von George Bazaine.

In London wird die Royal Festival Hall eingeweiht.

Der französische Architekt Le Corbusier erhält gleich 2 Aufträge, Hauptstädte auf dem Reißbrett zu entwerfen, für die Hauptstadt Chandigarh der Provinz Pundschab in Nordindien und für die Hauptstadt Bogota in Kolumbien, die neu geschaffen werden soll. In Marseille wird sein Wohnmodell »L'Habitation« fertig.

In Köln wird eine Ausstellung unter dem Titel »Subjektive Photographie« eröffnet. Der Begründer dieses fotografischen Stils ist der Mediziner Prof. Dr. Otto Steinert.

In Pompeji beginnen 1000 Arbeiter mit neuen Ausgrabungen. Die Ausgrabungen begannen bereits im 17. Jahrhundert, $^3/_5$ sind bereits freigelegt.

Die älteste Silbenschrift Europas, die kretische Linearschrift B, wird entziffert.

Le Corbusiers Wohnmodell in Marseille.

Neue Filme, von denen man spricht

Renato Castellani, *2 Groschen Hoffnung* (Italien)
Louis Daquin, *Herr nach Gott* (Frankreich)
Hans Deppe, *Grün ist die Heide* (Deutschland)
Julien Duvivier, *Unter dem Himmel von Paris* (Frankreich)
Curt Goetz, *Das Haus in Montevideo* (Deutschland)
John Huston, *Die rote Tapferkeitsmedaille* (USA)
Elia Kazan, *Endstation Sehnsucht* (USA)
Elia Kazan, *Viva Zapata* (USA)
Vincente Minelli *Ein Amerikaner in Paris* (USA)
Kenji Mizoguchi, *Das Leben von O'Haru* (Japan)
Jean Renoir, *Der Strom* (Frankreich)
Wolfgang Staudte,. *Der Untertan* (DDR, nach dem gleichnamigen Roman von Heinrich Mann)
George Stevens, *Ein Platz an der Sonne* (USA, nach Theodore Dreiser, *Eine amerikanische Tragödie*)

Wenn es vor den Augen flimmert, ist es noch das Kino

Adolphe Menjou, der Erfinder des Menjou-Bärtchens, erhält von einem amerikanischen Produzenten 10000 Dollar, damit er

S. 146 oben: »Der Untertan« von Wolfgang Staudte mit Werner Peters; unten: »Grün ist die Heide« von Hans Deppe mit Sonja Ziemann und Rudolf Prack.

Kinoanzeige für Hildegard Knef.

sich das Bärtchen für seine nächste Filmrolle abnehmen läßt. Menjou läuft nun in seiner Freizeit mit einem falschen Bärtchen herum.

Auf der Biennale in Venedig erhält den 1. Preis *Rashomon,* weitere Auszeichnungen u.a. *Endstation Sehnsucht* nach Tennessee Williams und *Das Tagebuch eines Landpfarrers* nach George Bernanos sowie der Schauspieler Jean Gabin.

Orson Welles, der berühmte amerikanische Filmschauspieler, verliert bei den Dreharbeiten zu *Othello* seine Stimme. Er zieht sich nach Versailles zurück – wo er allerdings auf seine Attribute, Zigarre und Whisky, verzichten muß. Später, auf der Biennale in Venedig, zieht er seinen *Othello* zurück – der Film sei nichts geworden, es sei ihm zuviel dazwischengekommen.

Aus den USA werden im Jahr 600 Mill. Kinobesucher gemeldet. Die Kinobesitzer betrachten das Fernsehen noch nicht als Konkurrenz und haben seit 1948 die Anzahl der Kinos um 20% vermehrt.

Die besten Filme des Jahres nach Meinung der amerikanischen Kritiker: 1. *Endstation Sehnsucht,* 2. *Rashomon,* 3. *Das Wunder von Mailand.*

Kinoanzeige für Ingrid Bergman.

In diesem Jahr wird ein neuer Film von Veit Harlan uraufgeführt: *Unsterbliche Geliebte*. Da der Name des Regisseurs dem Publikum ein Symbol für Nazi-Film ist, wird der Streifen immer wieder verboten, boykottiert und endlos diskutiert.

Die Bundesrepublik verfügt in diesem Jahr über 4547 Kinos, die DDR über 1500, Österreich über 1069. In der Bundesrepublik werden 60 Filme gedreht, in der DDR 8, in Österreich 28.

Greta Garbo, die schwedische Filmschauspielerin, die in Hollywood zu Weltruhm gekommen ist und sich längst zurückgezogen hat, nimmt die amerikanische Staatsbürgerschaft an.

Westberlin richtet zum erstenmal Internationale Filmfestspiele aus.

Kinoanzeige für Anna Magnani.

Links: »Endstation Sehnsucht« von Elia Kazan mit Marlon Brando und Vivien Leigh. Oben: »Unter dem Himmel von Paris« von Julien Duvivier. Unten: »Ein Amerikaner in Paris« von Vincente Minelli mit Gene Kelly und Leslie Caron.

Der 1. FC Kaiserslautern kehrt als Fußballmeister heim. Rechts außen im dunklen Anzug Fritz Walter.

Seite 154: Fritz (vorne) und Ottmar Walter.

Sport
Vermischtes

– das sollten Sie unbedingt wissen

Der 1. FC Kaiserslautern wird deutscher Fußballmeister.

Deutsche Sportler von internationalem Format:

Fritz Thiedemann/Reiten, Hein ten Hoff/Boxen, Herbert Klein/Schwimmen, Wilhelm Herz/Motorrad, Anderl Ostler/Bob, Ria Baran, Paul Falk/Rollschuh und Eiskunstlauf, Herbert Schade/Leichtathletik u.a.

Deutschland darf wieder an Olympischen Spielen teilnehmen.

Der Schlager des Jahres heißt »Florentinische Nächte«.

Der Schah von Persien heiratet Soraya.

Das Neueste vom Sport

Fußball

30. Juni: Deutsche Fußballmeisterschaft: 1. FC Kaiserslautern : Preußen Münster 2 : 1 im Berliner Olympia-Stadion durch zwei Tore von Otmar Walter.
An der Endrunde waren beteiligt:
Gruppe A: 1. FC Nürnberg, Preußen Münster, HSV, Tennis Borussia Berlin;
Gruppe B: Spielvereinigung Fürth, 1. FC Kaiserslautern, Schalke 04, FC St. Pauli Hamburg.
In diesem Jahr bestreitet Deutschland das 200. bis 205. Fußball-Länderspiel. Es gewinnt in Zürich gegen die Schweiz 3 : 2, in Wien gegen Österreich 2 : 0, in Istanbul gegen die Türkei 2 : 0, in Essen gegen Luxemburg 4 : 1.
Es verliert in Berlin gegen die Türkei 1 : 2, und in Dublin gegen Irland 2 : 3.
Deutscher Amateurfußballmeister wird der ATSV Bremen 1860 durch einen 3 : 2-Sieg über den Karlsruher FV.

Fußballmeister

in Österreich Rapid Wien,
in der Schweiz Lausanne Sports.

Tennis

Die Nationalen Deutschen Tennismeisterschaften gewinnen E. Buchholz (Herreneinzel), I. Pohmann (Dameneinzel), Göpfert-Hermann (Herrendoppel), Jenquel-v. Gerlach (Damendoppel) und Fuchs-F. Henkel (gemischtes Doppel).

Den Davis-Pokal im Tennis gewinnt Australien durch einen 3:2-Erfolg über die USA. Deutschland hat einen Tennisstar: Es ist immer noch Gottfried v. Cramm. Im Davis-Cup kann aber auch er sich nicht mehr durchsetzen.

Handball Deutscher Hallenhandballmeister wird zum 2. Mal hintereinander Polizei Hamburg.

Hockey Deutscher Hockeymeister im Feldhockey der Herren wird der HC Raffelberg-Duisburg durch einen 1:0-Sieg über den THC Uhlenhorst Mülheim, bei den Damen siegt der THC Harvestehude Hamburg.

Reitsport Sieger im Deutschen Spring-Derby wird F. Thiedemann mit Meteor, Sieger im Deutschen Galopp-Derby O. Schmidt mit Neckar.

Radsport Die Tour de France gewinnt der Schweizer H. Koblet.

Boxen Weltmeister im Schwergewicht der Boxer wird der Amerikaner Joe L. Walcott, Europameister der Deutsche Hein ten Hoff.

Wassersport 9. Juni: Deutschland hat einen Schwimmer von Weltklasse: Herbert Klein stellt einen Weltrekord über 200 Meter Brust auf: 2.27.3 Minuten.
Deutscher Wasserballmeister werden die Schwimmsportfreunde Barmen.

Der Schotte William Barnie durchschwimmt zum erstenmal in einem Jahr den Ärmelkanal in beiden Richtungen.

Motorsport

12. April: Wilhelm Herz stellt einen neuen Weltrekord auf dem Motorrad auf: Er verbessert den seit 1937 bestehenden Weltrekord von 279 km/h auf 290 km/h.
29. Juli: Auf dem Nürburg-Ring wird wieder der Große Preis von Deutschland gefahren. Es siegt Ascari auf Ferrari.

Wintersport

31. Januar: Anderl Ostler erringt neben der Zweier- auch noch die Viererbobweltmeisterschaft.
23. Februar: Das deutsche Paar Baran/Falk erringt in Mailand den Weltmeistertitel im Paarlauf bei den Eislaufmeisterschaften. Sie sind bereits Weltmeister im Paarlauf auf Rollschuhen.
2. März: Auf der Sprungschanze in Oberstdorf stellt der Finne Tauno Luiro einen neuen Weltrekord im Skifliegen auf: 139 m.
Deutscher Meister im Eishockey wird Preußen Krefeld. Weltmeister im Eishockey wird Kanada, Europa-Meister Schweden.
Weltmeister im Eisschnellauf wird der Norweger Hj. Andersen, deutscher Meister Th. Meding aus Köln.
Deutsche Meister im Eiskunstlauf werden H. Faber aus München (Herren), H. Dudzinski aus München (Damen) und Baran/Falk aus Düsseldorf (Paare). Weltmeister im Eis-

Ria Baran und Paul Falk werden Weltmeister im Eiskunstlauf der Paare.

kunstlauf werden R. Button/USA (Herren), J. Altwegg/England (Damen) und Baran/Falk/Deutschland (Paare).
Weltmeister im Eistanz werden die Engländer J. Westwood-L. Demmy, deutsche Meister die Düsseldorfer Lamprecht-Müller.
Die Deutschen Meister im Skilauf: A. Hechenberger (Nordische Kombination), Albin Mohr (15-km-Langlauf), O. Burgbacher (50-km-Langlauf), S. Kleisl (Spezialsprunglauf), S. Behr (Slalom), K. Maurer (Abfahrt), Alpine Kombination S. Gantner, Alpine Kombination der Damen Dr. Hildesuse Gärtner.
In den USA kommen Metallski in der Sandwich-Bauweise auf.

Sportler des Jahres

In diesem Jahr wird das Sportlerehepaar Ria Baran und Paul Falk zu Sportlern des Jahres gewählt. Sie sind Weltmeister im Eiskunstlauf und im Rollschuhlaufen. Auf dem 2. Platz liegt der Leichtathlet Herbert Schade, auf dem 3. Platz der Schwimmer Herbert Klein.

Das NOK

8. Mai: Das Nationale Olympische Komitee (NOK) der Bundesrepublik wird in die Internationale Olympia-Organisation aufgenommen, in Zukunft darf Deutschland wieder an Olympischen Spielen teilnehmen.

Der Hit des Jahres

Der Schlager des Jahres heißt »Florentinische Nächte«.
Der Filmschlager des Jahres ist dem Film *High Noon* mit Gary Cooper entnommen.
Beliebte Schlager sind außerdem in diesem Jahr: »How high the moon«, »Blueberry Hill«, »Ich hab' mich so an dich gewöhnt«.
Ein Kinderstar, Conny Froboess, singt »Pack die Badehose ein«.

Das Fest des Jahres

3. September: Der mexikanische Millionär Don Carlos de Bestegui gibt in Venedig im Palazzo Labia am Canale Grande das kost-

spieligste Fest der Nachkriegszeit. Zuerst hat er den Palast für 0,5 Mill. Dollar erworben, dann für 6,25 Mill. Dollar prunkvoll hergerichtet. Mit einem Kostümball im Stil des 18. Jahrhunderts soll er eingeweiht werden. Geladen sind 3000 Gäste, die gesamte Prominenz der internationalen Gesellschaft.

Ab 22 Uhr fahren die prächtig geschmückten Gondeln 2 Stunden lang vor. Es kommen jedoch nur 900 Gäste, da das Fest eine sehr geteilte Aufnahme findet. So haben die Spitzengesellschaft Italiens und die Diplomaten abgesagt, ebenso fehlen viele Filmstars der gleichzeitig stattfindenden Biennale sowie der Herzog von Windsor mit seiner Frau. Es erscheinen der Hausherr und Gastgeber als Doge gekleidet (und von den Venezianern ausgepfiffen), Barbara Hutton als venezianischer Page in einem 15 000 Dollar-Kostüm, der Modeschöpfer Jaques Fath als eine Art Rübezahl, die Filmschauspielerin Gene Tierney in einem ganz billigen Kaufhausfähnchen u. a.

Die Veranstaltung wird von dem größten Polizeiaufgebot gesichert, das Venedig nach dem Krieg gesehen hat. Es muß die Bevölkerung in Schach halten, der der Aufwand mißfällt und den Mexikaner »Duce« tituliert. Für die Armen Venedigs hat der Millionär eine Art Maibaum aufrichten lassen, an dem oben kleine Geschenke befestigt sind. Allerdings ist der Maibaum unten mit Schmierseife bestrichen.

Seite 160: Die Pariser Frühjahrsmode.

HERTIE
präsentiert
den
Frühling
in allen
modischen
Abteilungen
und in 19
Schau-
fenstern
H 523

Jacques Fath führt seine Herbst- und Wintermode in Bad Godesberg vor.

Seite 162: Werbung für die Frühjahrsmode.

Seite 164: Der Pariser Modesalon Paquin führt seine Winterkollektion in Düsseldorf vor.

Auch an die Jugendlichen wird gedacht.

Wein, Wasser und Wehmut

1949 erzeugten die westdeutschen Winzer 1,3 Mill. hl, 1950 3,2 Mill. – ein Rekordjahr! –, für 1951 werden 2,5 Mill. erwartet. 25% der Vorjahrsernte sind noch nicht verkauft.

Schlecht sieht es an der Mosel aus. Im Durchschnitt der letzten 40 Jahre wurden 5050 l pro Hektar erzeugt. Knapp 12% der Ernte von 1950 stammten von der Mosel, nämlich 38 Mill. Liter, von denen im Herbst 1951 jedoch noch 15 Mill. Liter bei den Winzern unverkauft lagern. Es fehlt den Trinkern wie den Händlern an Kapital wie an Lagerräumen.

1950 tranken die Deutschen nur 3 l Wein pro Kopf, 1951 waren es immerhin schon 5 l! Das ist aber gar nichts im Vergleich zu den Franzosen, die seit langem die Spitze halten: Sie tranken 1950 152 l Wein pro Person.

Nichtsdestotrotz: Die deutschen Winzer küren wieder eine Weinkönigin und taufen den Jahrgang »Sorgentöter«.

Die Winzer haben ein Sprichwort: Auf 1 Tropfen Wein kommen 10 Tropfen Wasser.

Die Hochzeiten des Jahres

12. Februar: Der Schah von Persien heiratet die 18jährige Soraya Esfandiari, deren Mutter eine Deutsche ist. Sie trägt zur Hochzeit ein Kleid von Dior aus glänzendem Silberlamée mit einer 10 m langen Schleppe aus weißem Tüll und mattrosa Marabufedern. Stalin schenkt ihr einen Zobelmantel.

6. Mai: König Faruk von Ägypten heiratet die 17jährige Narriman Sadeh.

10. Mai: In Nancy heiratet der österreichische Thronprätendent Otto v. Habsburg die 26jährige Regina v. Sachsen-Meiningen. Die Hochzeit findet in Lothringen statt, um an den Anspruch der Habsburger auf Lothringen zu erinnern.

4. September: Mit großem Gepränge heiratet Erbprinz Ernst August v. Hannover die Prinzessin Ortrud zu Schleswig-Holstein-Sonderburg-Glücksburg.

Seiten 168/169: Das Paar des Jahres: Soraya mit dem Schah von Persien.

Die Scheidungen des Jahres

Hildegard Knef läßt sich in Hollywood scheiden. Ihr Mann Kurt Hirsch wirft ihr seelische Grausamkeit vor.
Rita Hayworth, das amerikanische Schönheitsidol dieser Jahre, kehrt zum Filmen nach Hollywood zurück. Von ihrem Mann, dem Prinzen Ali Khan, will sie sich scheiden lassen. Sie wirft dem Mann seelische Grausamkeit vor. Der Prinz habe so viele gesellschaftliche Verpflichtungen, daß sie und die Kinder kein gemütliches Zuhause gehabt hätten.
Das Idol soll auch in Deutschland gelten: In Bad Homburg wird eine Miß Carmen gewählt mit der Maßgabe, Rita Hayworth möglichst ähnlich zu sehen.
Elizabeth Taylor läßt sich von Nick Hilton (Hilton-Hotels) scheiden. Sie fühlt sich vernachlässigt.

Gedanken zum Weihnachtsfest

In Paris wird darüber diskutiert, ob Weihnachten abgeschafft werden soll. Es äußern sich u. a.:
Der Erzbischof von Paris, Maurice Feltin: »Die christliche Bedeutung wird durch die Legende des Weihnachtsfestes vom Heiligen Nikolaus, die in den dunklen sächsischen Wäldern (!!!) entstanden ist, ihrer Grundlagen beraubt.«
Der Bühnenautor und Dichter Maurice Rostand: »Schafft den Weihnachtsmann ab und gebt dieser Nacht die Reinheit und Größe von Christi Geburt wieder!«
Ein Abgeordneter und Rechtsanwalt: »Eine idiotische und beklagenswerte Diskussion, eine Aktion von Partisanen gegen eine Legende, mit der wir uns verbunden fühlen.«
Der Filmschauspieler Noël (das französische Wort »noël« bedeutet soviel wie Weihnachten): »Eine großartige und reizende Legende. Ich liebe sie! Als ich herausbekam, daß es den Weihnachtsmann nicht gibt, war ich nicht enttäuscht – ich entdeckte vielmehr die Großmut meiner Eltern. Das war eine schöne Wahrheit hinter der Legende.«

Wie wird das Wetter?

Die Frage im Titel kann vielleicht der 78jährige blinde Johan Johansson aus Nydal in Schweden beantworten. Er ist in der Lage, von 1880 an für jeden Tag Wetter und Temperatur anzugeben, und zwar allein dank seines Körpergefühls, denn er ist von Geburt an blind. Die Meteorologen überprüfen seine Angaben und bestätigen sie.

Die 2. Januar-Hälfte bringt Süddeutschland und den Alpen starke Überschwemmungen und viele Lawinenkatastrophen. An einem Tag kommen allein 320 Menschen um.

Im Frühjahr zieht eine Grippe-Epidemie um die Welt.

Das Frühjahr kommt diesmal besonders spät, da sehr viel Schnee liegt.

Mitte November erlebt Oberitalien eine der größten Unwetterkatastrophen seiner Geschichte: Der Po durchbricht an 40 Stellen die Dämme, 150 Menschen kommen ums Leben, 200000 Menschen verlieren ihr Heim. Der Markusplatz in Venedig steht fast 2 m hoch unter Wasser.

Von 1950 auf 1951, innerhalb eines Jahres, sind von 100 Schweizer Gletschern 99 zurückgegangen, zum Teil erheblich.

Am 12. Dezember landet auf dem Londoner Flughafen um 22 Uhr eine Spätmaschine mit 23 Passagieren an Bord – und verschwindet am Ende der Piste in einem plötzlich aufkommenden dichten Nebelfeld. Vom Tower ergeht sofort Anweisung, das Flugzeug zu suchen und zum Empfangsgebäude zu führen. 2 Stunden brauchen Feuerwehr und andere Hilfsfahrzeuge, bis sie durch Zufall das Flugzeug entdecken. Die Passagiere haben es sich inzwischen gemütlich gemacht, haben sich in der Bordküche bedient, trinken Sekt und spielen Karten. Als sie endlich im Empfangsgebäude ankommen, müssen sie noch einmal warten. Nun finden die Gepäckwagen das Flugzeug nicht mehr wieder.

Ein bißchen spät

Ein italienischer Rechtsanwalt aus dem Städtchen Biella erhält einen Strafbescheid über 250 Lire, weil er 16 Jahre zuvor das Parteiabzeichen der Faschisten unberechtigt getragen hat.

Selbst ist der Mann

5. Oktober: An diesem Tag machen 2 Schweizer Journalisten knapp unterhalb des Gipfels des Mont Blanc eine Bruchlandung mit einem Sportflugzeug. Sie fordern daraufhin mit großer Schrift im Schnee einen neuen Propeller an. Es kommt aber keiner, und ein aufkommender Sturm zwingt die beiden, zu Fuß abzusteigen. Ein paar Tage später stei-

gen sie wieder auf, reparieren ihre Kiste und starten mit Hilfe eines Katapultes.

Das falsche Lied

In Dedensen bei Hannover pfeifen zwei Buben »Fuchs du hast die Gans gestohlen«. Da springt ein Mann von einem Lastwagen herunter und verprügelt sie. Als daraufhin die Buben mit der Polizei zurückkommen, nimmt der Mann reißaus. Wie die Polizei feststellt, hat er den Lastwagen geplündert.

Ohne Beethoven später

Am neueröffneten Residenztheater in München sind die Noten für die Egmont-Ouvertüre von Beethoven nicht auffindbar. Daher beginnt man Goethes Trauerspiel mit einer halben Stunde Verspätung. Als die Noten im Laufe des Abends schließlich doch noch gefunden werden, entschließt man sich, die Ouvertüre nachzuliefern.

Gewußt wie

In Hannover wird der 48jährige Schneider Felix Heinke zu 14 Monaten Zuchthaus verurteilt. Er hatte sich gegen Eheversprechungen von vielen Frauen aushalten lassen. Rund 50 Bräute nannte er offiziell sein, zu weiteren 100 Frauen unterhielt er nach seinen eigenen Aufzeichnungen mehr oder weniger intensive Kontakte.

Was hat der Elefant gegen die Schwebebahn?

In Wuppertal zerstört der Elefant Tuffi während der Fahrt die Tür der Schwebebahn und springt ab. Tuffi war schon oft und gerne für den Zirkus Althoff auf Reklamefahrt mit allen möglichen Verkehrsmitteln gegangen, hatte Bürgermeister in ihren Rathäusern und Kinder in ihren Schulen besucht. Er landet nun in der Wupper, und zwar heil, und Psychologen stellen fest, daß er nicht einmal einen Schock erlitten hat. Nur die Schwebebahn ist hin, und ein Gericht verurteilt den Zirkusdirektor zu DM 150,- Geldstrafe und den Beamten, der die Erlaubnis zu der Fahrt gegeben hat, zu DM 300,-.

Das kommt davon

Signora Mafalda aus Varese/Italien renkt sich ihren Unterkiefer aus, als sie ihren Mann beschimpft. Sie will sich bessern.

Herkules ohne Keule

Auf einer großen Kreuzung der Via Veneto in Rom steht ein Zivilist und regelt mit Erfolg den Verkehr. Schließlich sprechen ihn zwei Polizisten an, die ihn einige Zeit lang beobachtet haben.
»Ich bin Herkules«, antwortet der Mann, der inzwischen im Eifer schon die Hose verloren hat, »und erschlage jeden mit meiner Keule, der mich hindern will.«
Da die Polizisten keine Keule sehen, nehmen sie den Mann mit und stellen zu ihrem Erstaunen auf der Wache fest, daß der Mann wirklich Herkules heißt, allerdings aus einer Irrenanstalt entsprungen ist.

Warum Casanova so erfolgreich war

Ein Programmdirektor des staatlichen britischen Rundfunks BBC will ein paar originelle Interviews machen und inseriert:

»Welche junge Dame möchte mit gutsituiertem jüngeren Herrn mit einwandfreien Absichten auf Abenteuer gehen? Treffpunkt Sonnabend 19. Mai, 19.15 Uhr am Eingang des ›Criterion‹. Erkennungszeichen: weißblau getupfter Schlips und rote Nelke. Stichwort: Wie geht es Ihrem Onkel?«
Zum Entsetzen des Reporters drängen sich auf der Treppe des Hotels »Criterion« zum angegebenen Zeitpunkt 200 Frauen, zum Teil Mütter mit Kindern, auf der Regent Street kämpfen sich weitere 800 Frauen durch, so daß der Verkehr bis zum Picadilly Circus zum Erliegen kommt und Polizei eingesetzt werden muß. Die BBC verbietet daraufhin ihren Mitarbeitern derartige unfreiwillige »Werbung«.

Doppelter Schock

»Ich hab's geschafft!« brüllt ein Italiener in Treviso, als er im Radio hört, daß er den Totoschein richtig ausgefüllt hat – und bricht auf seinem Stuhl zusammen. Die Ärzte erklären, er werde sich von seinem Schock bald erholen, aber wie werde es ihm ergehen, wenn er dann die Wahrheit erführe: Zu viele haben alles richtig getippt, die Ausbeute beträgt umgerechnet nur DM 400,-.

Peinliche Verwechslung

Wie ein katholischer Bischof aus dem nun polnisch besetzten Schlesien berichtet, haben die Polen versehentlich ein Bildnis Friedrichs des Großen aus der evangelischen Kirche in Hirschberg in der katholischen Pfarrkirche in

Liegnitz aufgehängt – im Glauben, es handle sich um einen Erzengel.

Der Ausspruch des Jahres

»Heinrich, jetzt geht's dahin, habe die Ehre, Grüße daheim!« sagte der 20jährige Urbin aus Schongau am 2. September auf einer Klettertour in den Bergen zu seinem Freund, stürzte 60 m tief ab und war tot.

Rekorde des Jahres

Peter Gebhardy in Karlsruhe stellt einen neuen Weltrekord im Hungern auf: 66 Tage und 4 Stunden.
Arturo Acosta, Besitzer einer Farm mit 3000 Hühnern in Chile, meldet, daß sein Huhn Billy, 8 Monate alt, innerhalb von 3 Stunden 5 Eier der Handelsgröße A gelegt habe, nämlich 2 Stück um 10.15 Uhr, weitere 2 um 11.30 Uhr und das letzte um 12.50 Uhr.
Frau Magdalena Schultes in Württemberg, 46 Jahre alt, bringt innerhalb von 25 Jahren das 20. Kind zur Welt.
An der Philosophisch-Theologischen Hochschule in Regensburg studiert der älteste Student der Welt, der 93jährige Dr. phil. Ernst Georg Sarfert.

Wer hat nachgezählt?

Vancouver/Kanada: Ein 17 Monate altes Kind fällt in ein Wespennest und wird 477mal gestochen. Das Kind schwillt zwar auf das doppelte Volumen an, den Ärzten gelingt es aber, sein Leben zu retten.

Wer hält das aus?

Am Großglockner findet ein Rettungstrupp einen jungen Arbeiter unter einer Lawine lebend und ohne wesentliche Erfrierungen vor, der dort 13 Tage verschüttet lag.

Vom Nutzen des Telefons

In Boulogne/Frankreich stürzt ein Maurer von einem 20 m hohen Gerüst, fällt in die Drähte einer Telefonleitung und steht, etwas durcheinandergeschüttelt, aber heil, wieder auf.

Heckmeck

In dem badischen Dorf Elchesheim traut der Bürgermeister Heck den Otto Heck mit der Philomena Heck, geb. Heck. Beide Trauzeugen heißen Heck, der Pfarrer heißt ebenfalls Heck, beide Schwiegermütter heißen Heck und sind geborene Heck und der Reporter der Rastatter Zeitung, der das berichtet, heißt ebenfalls Heck. Und kein Heck ist mit dem anderen Heck verwandt!

Der Mord des Jahres

Des Moines/Iowa/USA: Während der Messe in der St. Ambrosius-Kathedrale wird die 23jährige Theresa O'Conor überfallen. Sie schreitet gerade mit gefalteten Händen zur Kommunion nach vorne an den Altar, als der Mörder 2mal von hinten mit einem Dolch zustößt. Der 24jährige John Masterson läßt sich anschließend willenlos festnehmen. Motiv: verschmähte Liebe.

... und ein Mord vor 3800 Jahren

Amerikanische Archäologen entziffern die Keilschrift auf einer Tontafel, die in Nippur im heutigen Irak gefunden wurde: Damals ermordeten 3 Männer einen Tempelbeamten. Die Ehefrau des Beamten kannte die 3 Täter, erstattete jedoch keine Anzeige. Daraufhin ordnete der König einen öffentlichen Prozeß an. Es bildeten sich schnell 2 Parteien: Die eine plädierte dafür, alle zum Tode zu verurteilen, die andere dafür, die Frau für unschuldig zu erklären und frei zu lassen. Das Gericht kam schließlich zu dem Urteil, daß die Frau frei zu lassen sei. Das Urteil an den Männern wurde auf der Stelle vollstreckt.

Die Katastrophen des Jahres

21. Januar: Der Mt. Lemington/Neuseeland bricht aus und erzeugt eine 12 km hohe Wolke. 3000 Menschen sterben.

In Nordindien in der Nähe von Lucknow stürzt eine Hängebrücke ein, auf der sich gerade 22 Autos befinden. Etwa 50 Menschen erleiden den Tod.

In Flagler im Bundesstaat Colorado/USA stürzt eine einmotorige Sportmaschine während einer Flugvorführung aus 300 Meter Höhe in die Zuschauermenge: 19 Tote, 50 Verletzte.

5. Juli: Der Vergnügungsdampfer »Heimatland« explodiert bei einer Ausflugsfahrt auf der Spree in Ostberlin. Von 127 Schulkindern, die sich an Bord befinden, kommen 45 um, die anderen werden verletzt. Ostberlin versucht anfangs, den Unfall zu vertuschen. Westberliner dürfen am Unfallort nicht helfen. Verurteilt wird später der Kapitän, dem das Schiff gehört.

In Perth/Australien leiht ein 36jähriger Rechtsanwalt seinen Freunden ein Segelboot, fragt sich aber später, ob die Freunde damit zurechtkommen werden. Er mietet ein Flugzeug und fliegt hinterher, angesichts des Bootes klettert er auf einen Flügel und springt aus 160 Meter Höhe ab und verschwindet spurlos. Boot und Flugzeug kehren ohne ihn zurück.

Im Kanal wird das britische U-Boot »Affray« (zu deutsch: Krawall) mit Unterwasserkameras gesucht. 75 Mann Besatzung sind verloren.

Eine Schlagwetterexplosion in einer Grube in Illinois/USA fordert 119 Opfer.

10. Januar: Sinclair Lewis, amerikanischer Schriftsteller. Er erhielt 1930 als erster Amerikaner den Nobelpreis für Literatur.

14. Januar: Maxence van der Meersch, französischer Schriftsteller, Autor von *Leib und Seele.*

25. Januar: Charles Nessler in Harrington/New Jersey, wohin er aus Deutschland einwanderte. Er gilt als der Erfinder der Dauerwelle.

27. Januar: Feldmarschall Carl Gustav Freiherr v. Mannerheim, der Finnland im 2. Weltkrieg führte.

30. Januar: Ferdinand Porsche, der Schöpfer des VW-Käfers.

9. Februar: Fritz Thyssen. Zuerst finanzierte er den Aufstieg Hitlers, dann versuchte er, sich Hitler zu entziehen, der ihm daraufhin die deutsche Staatsangehörigkeit aberkannte und ins KZ steckte; von der Spruchkammer als »minder belastet« eingestuft.

19. Februar: André Gide, französischer Schriftsteller und Nobelpreisträger (1947): *Die Verliese des Vatikans, Die Falschmünzer* usw.

22. März: Willem Mengelberg, Dirigent. Er begründete den Weltruf des Concertgebouw-Orchesters in Amsterdam.

29. April: Ludwig Wittgenstein, deutscher Philosoph, der nach England emigrierte, bedeutender, Schule bildender Logistiker.

30. Mai: Hermann Broch, deutscher Schriftsteller, *Der Tod des Vergil* usw.

2. Juli: Ferdinand Sauerbruch, Chirurg.

13. Juli: Arnold Schönberg, österreichischer Komponist, Schöpfer der Zwölftonmusik und damit einer der Begründer der modernen Musik überhaupt.

18. Juli: in Hellabrunn bei München Ludwig Heck, der mit dem Berliner Zoo seinerzeit die größte Tierschau der Welt aufgebaut hatte. Der Berliner Zoo wurde im 2. Weltkrieg durch Fliegerbomben restlos zerstört.

20. Juli: Kronprinz Wilhelm von Preußen.

23. Juli: in der Verbannung Marschall Henri Philippe Pétain, der sogenannte Sieger von Verdun, der im 2. Weltkrieg in der Position des Präsidenten des besetzten Frankreichs mit dem Hitler-Staat zusammengearbeitet hatte.

24. Juli: der Filmregisseur Robert J. Flaherty – Schöpfer der Dokumentarfilme *Louisiana-Legende, Nanuk, der Eskimo* usw.

6. August: Ernst v. Weizsäcker, Staatssekretär im Auswärtigen Amt im 3. Reich.

14. August: William Randolph Hearst, amerikanischer Zeitungskönig.

16. August: Artur Schnabel, Pianist. Er war der erste, der Beethovens Sonaten als Zyklus an mehreren Abenden hintereinander spielte.

S. 182: Arnold Schönberg, der Schöpfer der 12-Ton-Musik.

1. September: Wols, Pseudonym für Wolfgang Schulze, deutscher Maler der französischen Schule, führender Vertreter und Anreger des Tachismus.

16. September: der Dirigent Fritz Busch. Seine Mozart-Schallplatten von den Glyndebourne-Festspielen setzen noch heute Maßstäbe.
3. Oktober: Henri-Jules des Fourneaux, der Henker von Frankreich. 1939 führte er in Versailles die letzte öffentliche Hinrichtung durch. Die große Menge neugieriger Zuschauer veranlaßte seinerzeit Ministerpräsident Daladier, Hinrichtungen nur noch unter Ausschluß der Öffentlichkeit anzuordnen. Fourneaux übte seinen Beruf 42 Jahre lang aus.
17. Oktober: Bernhard Kellermann, Autor des Weltbestsellers *Der Tunnel.*
15. November: Fräulein Bertha Ganzlin, die älteste Deutsche, im Alter von 106 Jahren.

Die Jubiläen des Jahres

1. März: Die Schwebebahn in Wuppertal feiert ihr 50jähriges Jubiläum, für ihr Alter immer noch ein sehr fortschrittliches Verkehrsmittel.
10. September: Wilhelm und Sophie Sell, beide 93 Jahre alt, begehen die Gnadenhochzeit – sie sind 70 Jahre miteinander verheiratet (und leben immer noch).
Im Oktober feiert der Herder Verlag in Freiburg/Br. sein 150jähriges Jubiläum. Der Herder Verlag zählt zu den führenden katholischen Verlagen der Welt. Er wurde

S. 165: Die Wuppertaler Schwebebahn wird 50 Jahre alt.

1801 in Meersburg am Bodensee gegründet.

In Lübeck wird die 700-Jahrfeier für die Marienkirche ausgerichtet. Thomas Mann läßt grüßen.

Die Nachrichtenagentur Reuter in London feiert ihr 100jähriges Jubiläum. Reuter ist damit die älteste Agentur der Welt.

In Deutschland wird die Zivilehe 100 Jahre alt. Sie wurde 1851 zum erstenmal von der Freien Reichsstadt Frankfurt am Main eingeführt.

Danksagung

Vieles, was in diesem Band steht, wurde anhand alter Zeitungsjahrgänge rekonstruiert. Dank gebührt wie immer besonders Herrn Dr. Heinz Starkulla vom Institut für Kommunikationswissenschaft der Universität München.

Register

Kursive Seitenzahlen weisen auf Abbildungen hin.